竹内亮：レンズを通して見た本当の中国

竹内亮＝著
黄立俊＝編

三元社

まえがき

亮叔を紐解く三つのキーワード

監督・竹内亮の人気は今もなお、一向に衰える気配を見せない。

私がこの「亮叔（撮影チームのメンバーは皆、彼のことをこう呼ぶ）」＊に出会ったのは二〇二一年。彼は別の取材を終えたばかりで、私と話を始めると今度はその様子を中国中央電視台（CCTV）の撮影班がカメラに収めるといった段取りだった。これが終わったのが夜の七時、亮叔は少しの休憩を挟んでから新浪微博（ウェイボー）によるライブ配信のイベントに向かった。

＊亮叔の中国語の発音は「リャン・シュー」。「亮おじさん」の意。

だがこの人気沸騰の中においても、彼自身はそれにはそれほど興味を示す様子もなかった。彼の言葉で言えば自分は「ワンホン〔網絡紅人の略、ネット上の人気者を指す〕」のようなものであり、長くても一、二年すれば皆に忘れられるはずだというのだ。

どこから見ても典型的な日本のおじさんなのに、ネットスラングも自在に使いこなすこの亮叔という人物は、自分の人気ぶりとその周辺については多くを語ろうとしなかった。その代り彼が幾度となく繰り返したのは、自分にとって意義のあることをやり通すことの大切さだった。

人気に火がついてからというもの、亮叔にはいくつもの評価もしくは地位とも呼ぶべきものが付いて回ることになった。南京市の「金陵友誼賞（ジンリン・フレンドシップ・アワード）」受賞者、南京伝媒学院の客員教授、エンターテイメント番組のレギュラーゲストなどはその一例だ。中国で起業をしてから八年、亮叔が今日の名声を得ることができたわけを考えてみると、これらの評価とは別に、三つのキーワード——「ドキュメンタリー」、「日本人監督」、「インターネット」——が挙げられると思う。

まず「ドキュメンタリー」について考えてみたい。二〇二〇年に始まった新型コロナウイルス感染症の拡大により、多くの人が多大な打撃を受けた。亮叔のようなコンテンツ制作者たちもこの影響で業務の縮小を余儀なくされ、倒産に追い込まれた人も少なくない。特に中国で感染者数が爆発的に増えた最初の数ヵ月間、この業界には悲しみや怒り、そして絶望的な雰囲気さえ漂っていた。だが亮叔のチームが近年制作していた『私がここに住む理由』は一般人のストーリーに焦点を当てたドキュメンタリー作品だった。そして亮叔自身には、十年の長きにわたりNHKなど日本の主流メディアで社会的、もしくは政治や経済の分野でハードコアなドキュメンタリー作品を手がけた経験があった。自分の会社がどのように生き延びていくかの瀬戸際に立たされた時、彼を支えたのはこの経験で培われた真実を見分ける目、そしてカメラだったのだ。感染症対策に関連する様々な出来事を記録し、さらにそれを国境を越えて人々に訴えかける仕上がりとなったのが『中国・南京を歩く』だ。

次に「日本人監督」について。亮叔が中国に居を定めたのが二〇一三年、しかも彼が選んだのはどう見ても日本人が暮らすのには不向きな南京だ。だがこの南京という街も、この日本から来た一人のドキュメンタリー監督を受け入れた。それだけではない。彼が二〇二〇年における中国の感染症対策の真実を日本のネットユーザーや一般人に向けて発信しようとした際、南京はまたとない良きモデルとなって彼のカメラに映し出されることを受け入れたのだ。

南京は常住人口一千万人近くを抱える超大型都市だ。にもかかわらず確認された感染者数を二桁に抑え、死亡例ゼロという他にない成果を収めることに成功した。また、南京市が街全体を管理するにあたって使用したソフトウェアやＩＴ技術、そして市政府の対応の素早さなどは大いに賞賛され、同市は東部沿海エリアで経済発展を遂げた江蘇省の省都としての面目を施すことにもなった。亮叔は同市で感染症対策が一層の厳しさを増している中、カメラを手にして真実の一面を切り取ったのだ。その結果生まれた『中国・南京を歩く』は、日本のネットユーザーの中国に対する認識を一新したと言っても過言ではない。

最後の「インターネット」は、亮叔とそのチームによる作品の発表の舞台でもある。ウェイボー、ビリビリなどのプラットフォームで公開される彼らの作品は、中国の主要メディアがそれに気づく前に、「80」や「90」などと呼ばれる三十代前後のフォロワーによって支持を得ていた。この比較的若い視聴者は「インターネット原住民」と呼ばれることもある層で、生まれた時からインターネットに親しんでおり、自分で収集した情報を拡散するテクニックにも長けている。そんな彼らの中には、自国の姿を先入観なしに海外の人々に知ってほしいという切実な思いを抱く人も多い。同時に彼らは日本人という亮叔の立場に対しても中立的な態度を取る必要性をきちんとわきまえることができる人々でもある。

中国の「改革開放」後に生まれた世代の特徴は、亮叔の作品に対してその全体の意味するところを素早く把握し、より健全な態度でインターネットを駆使して拡散を図ることができる層であった。亮叔自身もその重要性をよく理解している。本書の執筆・編集の過程において、彼が日中関係の改善を何度も強調し、両国の若い世代こそが希望なのだと語ったのはそのためだろう。両国の若者は、お互いの考え方をよく知っており、自分に向けられた相手の視線を受け止める感受性も持ち合わせている。そしてこのことこそが、私自身が本書を手がける際に最も感銘を受けた点なのである。

黄立俊

二〇二一年初夏

もくじ

竹内亮：レンズを通して見た本当の中国

第一章

私がここに住む理由

もし今「一番したいことは」と聞かれたなら、長江のドキュメンタリー作品を撮りたいと答えるだろう。長江の流れに沿って青蔵高原から上海まで、六三〇〇キロメートルを超える全行程を歩き尽くしたい。青海、雲南、四川、重慶、武漢に南京。これらの地域のすべてを撮りたいと思う。そうすることが、この十年で長江流域において起きた巨大な変化、加えて私自身と中国の同時期における特殊な関係を記録することになると思う。

中国でドキュメンタリー作品を手がける監督・竹内亮として、これからみなさんにカメラを通じて見た中国のことをお話ししてみたい。

中国に住むことを決意

二〇一〇年、私は仕事の関係でこの中国の地を訪れていた。日本放送協会（ＮＨＫ）のために『長江 天地大紀行（日本語タイトル名：長江 天と地の大紀行）』という三部構成のドキュメンタリー作品を撮るのが目的だった。メインはもちろん、中国の長江だ。この撮影を通じて青海省、湖北省、江西省、安徽省、江蘇省、上海市など多くの場所を訪ねることができた。中でも思い出深いのは、この行程で出会った人々だ。私が日本から来たと知るや否や、自分が知っている日本のことをあれこれ話してくれた。「米西米西（ミシミシ）」、「花姑娘（ホアクーニャン）」＊など、昔の映画から聞きかじったおかしな日本語のほか、山口百恵や高倉健など著名人の名前を挙げる人もいた。

＊いずれも抗日映画などで日本兵の口癖として多用される言葉。〝米西米西〟は「飯」もしくは「もしもし」、〝花姑娘〟はきれいな若い娘を指す。

一九八〇年代のスターの名前は、私のような三、四十代の日本人に少し古いイメージがある。だが中国では二〇一〇年になっても、日本の著名人についての知識は二〇世紀のものに留まっていた。多くの普通の中国人には、今の日本の姿はほとんど届いていないらしいということが強く印象に残った。今思い返してみると、当時の撮影の合間に得た知見が、のちに日本から中国に移ることを決めた内なる要因の一つだ。中国人に日本の文化を伝えたいという強い思いは、ドキュメンタリー作品『私がここに住む理由』を撮る重要なきっかけともなった。

二〇一三年八月、妻の趙萍と共に日本から中国の南京市に移り住んだ。最初は中国の庶民層を対象に、日本文化を紹介する番組を作るつもりだった。だが気がつくと『私がここに住む理由』を撮っていた。同シリーズの第一回目が公開されたのは二〇一五年一一月五日、南京に引っ越してから二年が過ぎていた。

長江のドキュメンタリー作品を撮影していた**2010**年の記念写真。

妻・趙萍との結婚記念写真。

撮影の構想から実現まで二年もの長きを要した理由は単純だ。日中関係がかなり悪かったのだ。領土問題で二〇一二年に両国関係は緊張状態に陥り、中国でも日本に関連した話題はかなりデリケートなものとして扱われるようになった。ドキュメンタリー監督を出自とする私としては、中国ではまず現地のテレビ局と連携することを想定していたのだが、この両国関係のあおりを受けて多くのテレビ局が日本を扱うコンテンツを嫌がるようになってしまった。当然、私と連携しようというようなテレビ局は見当たらなかった。

我々の計画は完全に見通しが立たなくなったわけだが、それでも生きていかなくてはならない。日本で積み上げてきたすべてをかなぐり捨て、妻と一緒に南京に移り住んだのだ。仕事がない、収入がないと言っているわけにはいかない。生きるために、頭をフル回転させることになった。

まず私が目指したのは、日本のテレビ局と提携するということだ。南京に住みつつ、日本のテレビ局向けに中国関連のドキュメンタリー映像素材を撮る。これによって安定した、一定のレベルの収入を得ることができるようになった。

移住当初の思い

このような生活と仕事のリズムにもすっかり慣れてきた二〇一五年のある日、妻の趙萍が私に言った。

「亮、私たちはなぜ南京に来たの？　すべてを捨てて日本から中国に移ったのは一体何のため？　今あなたがしているのは日本にいる時と何も変わらない。意味があることとはとても思えない。」

妻のこの言葉に、目が覚めたような気がした。自分が中国に来たのは、日本の文化を紹介する番組を作りたかったからだ。でも日が経つにつれ、そんな初心をすっかり忘れてしまっていたのだ。

そうは言っても、中国のテレビ局側の事情は何ら変わってない。従来のメディアに頼っていてはならないと判断し、動画配信サイトに目を向けてみることにした。二〇一五年当時、動画配信サイトのクオリティは中国でも一定の水準に達し、優酷（Youku／ヨウクー）、愛奇芸（iQIYI／アイチーイー）、嗶哩嗶哩（bilibili／ビリビリ）などが独自の動画を制作するようにまでなっていたのだ。

それ以前の中国におけるネット動画の中身は、正直目も当てられない状況だったと思う。二〇一三～二〇一四年頃までは、テレビ番組と比べるとかなり見劣りがするものだった。だがそれも二〇一五年頃になると、動画配信全般での底上げが見られ、番組によってはかなりの影響力も持つようになってきていた。そこで私もこの場で力試しをしてみようと考えるようになったのだ。自分で動画を制作し、さらに自身でアップロードする。これなら比較的自由に、自分が撮りたいものを撮れる。こうして、私自身の動画番組が誕生することになった。

動画を制作するとなると、次は何を撮るかだ。妻からは、日本に住む中国人を撮ってみれば、というアドバイスがあった。確かに一理ある。地理的に少し離れた日本ではあるが、そこに住む中国人を紹介する番組であれば、我々が想定する中国国内の視聴者からも共感が得られそうだ。日本に住む中国人であれば、撮影に充分な人数を確保できるだけの人脈はあった。この方向で行こう。タイトルは『我住在这里的理由』、略して「我住」。邦題は『私がここに住む理由』とした。

タイトルが決まれば、あとは取材先探しだ。「我住」シリーズ第一回目の主人公は東京浅草に住む漫画家だ。二〇一五年当時、日本を訪れる中国人観光客はまだそれほど多くはなかったため、まず中国人にも比較的知名度が高い東京・浅草寺をロケーションとして選んだ。その後ネットを通じてこの漫画家を探し当て、撮影の同意を取り付けたという流れだ。

当時のスタッフは私と妻の二人だけだったが、もう一人重要な人物がいる。我々は

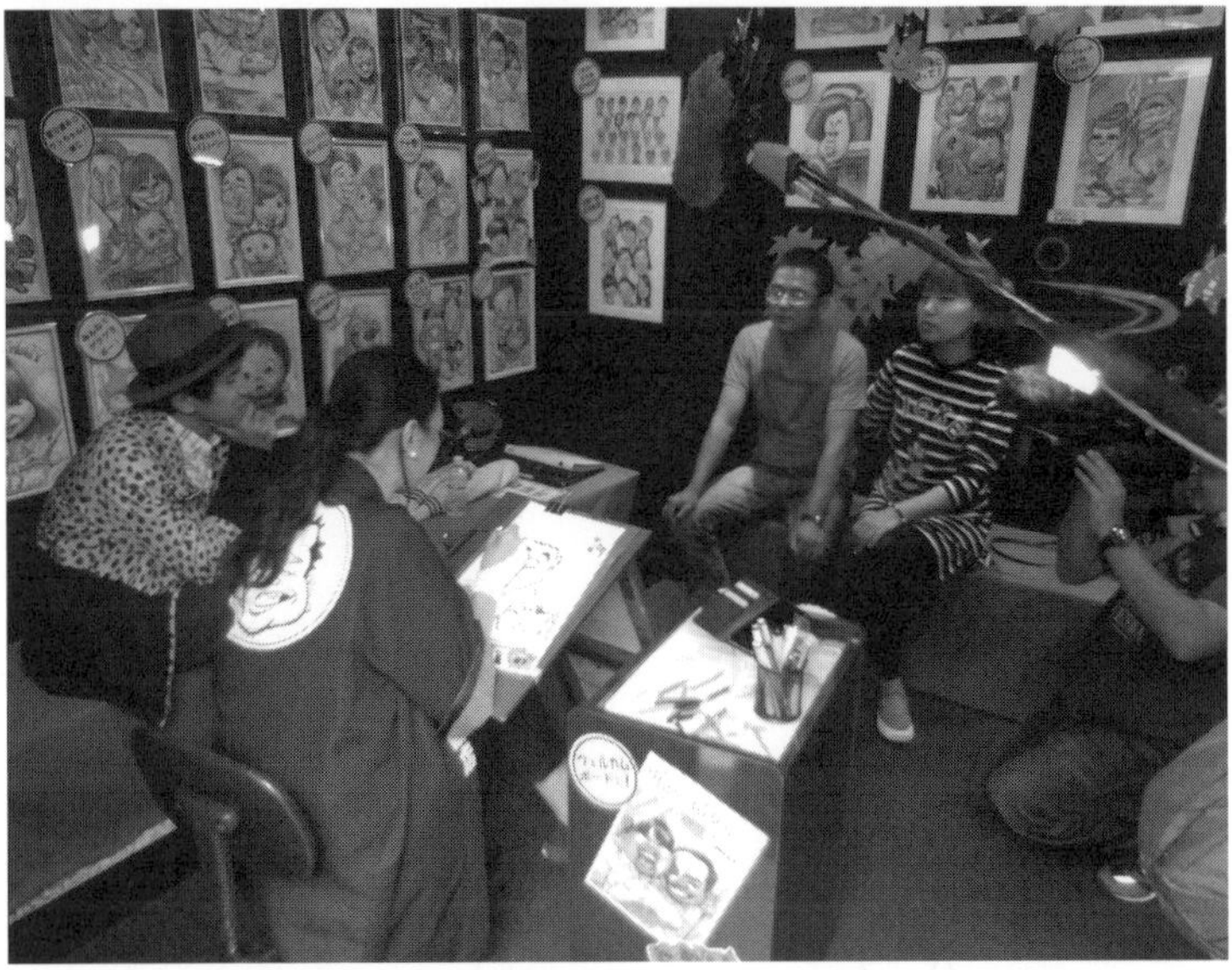

『私がここに住む理由』シリーズ第1回の撮影現場。

竹内亮と阿部力（冬冬）。

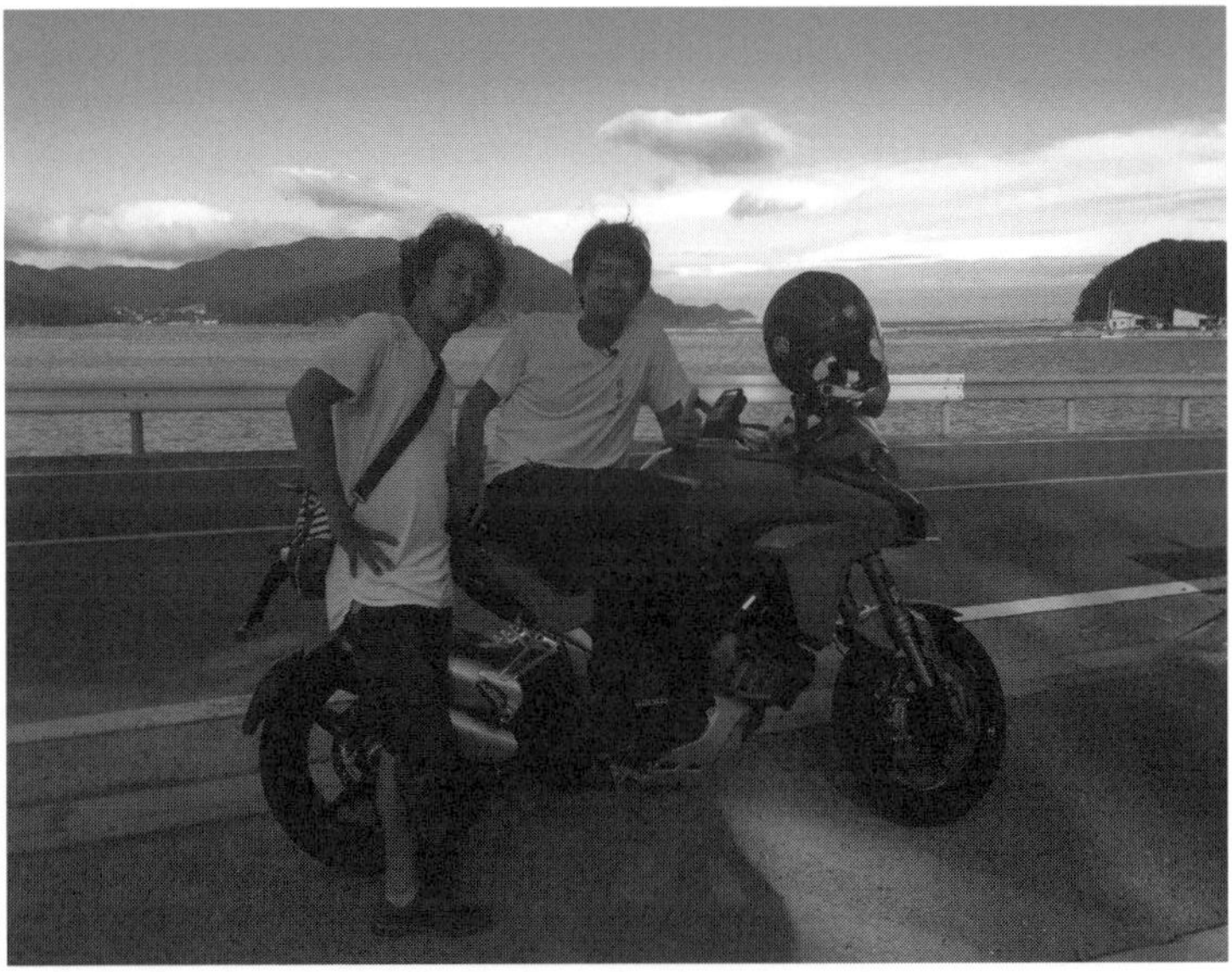

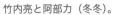

「冬冬（ドンドン）」と呼んでいるが、日本語の名前「阿部力」の方がよく知られているかもしれない。日本と中国で活動する中国系日本人俳優で、中国語が達者だ（彼の中国語は後から学んだものだ）。彼と出会ったのは長江ドキュメンタリーを撮影していた二〇一〇年頃だが、出会ってすぐに打ち解けた。その時に、いつか日本文化を紹介する番組を一緒に作ろうと約束したのだが、五年後にそのチャンスが本当に巡ってきたというわけだ。

そんな思い出があったので、このプロジェクトを立ち上げる際、私はすぐに連絡を取ってみた。冬冬はその場で同意してくれただけでなく、実際に撮影がスタートしてからの半年間、完全ノーギャラで出演してくれた。これほど名が知れた俳優でありながら、ここまでしてくれる人は非常に少ない。いや、彼以外あり得ないだろう。我々の夢を叶えるために惜しみなく協力してくれた冬冬に心から感謝を伝えたい。

このようにして二〇一五年一一月五日、『私がここに住む理由』のシリーズ第一回がリリースされた。私の事業立ち上げのストーリーが幕を上げた瞬間とも言える。

私はたまに、過去の作品を見返してみることがある。少し前にこの第一回を見てみると「导演我来考古（監督、昔の作品を掘り起こしに来ました）」などのコメントがたくさん流れていた。二〇二〇年にリリースした新型コロナウイルスの感染状況に関する作品は大きな反響があり、これで私の名を知った新しいユーザーが、昔の番組を探し当ててコメントを残してくれたものだろう。嬉しく思うと同時に大変ありがたいことである。

当初の頑張りが、今になってようやく少しずつ成果を出してきている。それがさらにまた、私が「ここに住む理由」を強固なものにしていく。

第二章

ウイルス、隔離、カメラ

二〇二〇年に入ると、新型コロナウイルス感染症が多くの人々の運命を変えてしまった。必要とされる防疫措置により、生活そのものが一変した人も多い。これらの変化の中には、我々が将来にわたって長く付き合っていかなくてはならないものもある。私と弊社のスタッフももちろん、深刻な状況に直面した。新型コロナウイルス感染症の流行前には日本の文化を紹介するエンターテインメント分野のコンテンツや、中国に住む日本人や海外在住の中国人などの日常生活に関連する番組を制作していた我々が、突如として身近な防疫措置を撮ることになったのだ。だがこの受け身の変化が、結果的には我々に多大な注目を集める結果をもたらした。

手に負えない感染状況

湖北省武漢市における新型コロナウイルス感染症のニュースを私が初めて知ったのは、二〇二〇年一月中旬のことだ。当時私は出張で日本におり、ちょうど年越しの時期だったため息子を連れて千葉県の実家に里帰りをしていた。祖母やそのほかの親戚と顔を合わせていたひとととき、伯父の一人が「中国で新しいウイルスの感染症の症例が見つかったらしい。大丈夫なのか？」と聞いてきたのだ。「感染したと言っても二、三人でしょう、大丈夫ですよ！」と答えたのを覚えている。

だが、息子を連れて中国に戻った一月二三日、その機上ではすでに多くの乗客がマスクを着用していた。自分自身はとても意外に感じていたが、その後すぐに「武漢のロックダウン（中国語で〝封城〟）」の知らせが届いた。「封城ってなんのことだ？」というのが私の最初の反応だ。飛行機を降り、空港にいるほぼ全ての人がマスクを着用しているのを見た時、私は初めて怖さを覚えた。「なぜこんなことになっているんだ？」

南京に戻ると、すでに市内は緊迫した空気に満ちていた。スーパーに行く道ですら通行人の姿を見かけることはほとんどなく、店内に入るとめぼしい商品は売り切れだった。人々が買い占めを始めていたのだ。当時の一般市民の気持ちはきっと私と同じく半信半疑というようなものだったろう。何しろ今までにないことが始まっていたのだから。

数日経たないうちに、また仕事で日本に帰ることになった。気持ちは複雑だ。当時は日本の方がまだ安全に思えたので、中国にいる家人が気がかりだった。だが、かなり前から手配していたスケジュールを今から組み直すことも難しい。迷いながら、まずは仕事をやり遂げることにした。

この国境を越えた移動に限らず、会社で制作している番組内容の調整も頭の痛い問題だった。通常であれば『我住在这里的理由（私がここに住む理由）』は毎週木曜日に新しい番組内容をオンラインでリリースする。だが、一月三〇日に予定していた番組は飲食をメインにしたかなり軽めの内容だった。今の社会の空気には全くそぐわない。そう判断した我々は、番組内容の変更に追われることになった。

そんな中出来上がった差し替え番組は、新型コロナウイルス感染症に関する一本の動画だ。ちょうど知り合いに北京で働く日本人看護師がおり、彼女にマスクの正しい付け方、ウイルスと感染予防についての基本的なアドバイスを話してもらったらどうだろう。中国に住む外国人という番組の基軸とも合っている。人との接触をなるべく避けるため、機材は全て自宅に持ち帰り、この看護師への取材と撮影は私が単独で行うことにした。画面越しの取材はごく簡単なものだったが、後に続く新型コロナウイルス感染症対策に関連した動画の記念すべき第一作目だ。

一月二九日、私は再び日本に向かった。そして日本に到着した時にある光景を目にし、『中国・南京を歩く（南京抗疫現場）』を撮ろうと心に決めた。それは日本入国時の税関手続きのことだ。私自身はかなり面倒な検疫検査があるであろうことを覚悟していた。少なくとも「最近武漢に行ったことがあるか」などと聞かれるのは必須だろうと。だが実際はいとも簡単に入国できてしまった。中国の感染状況がこれほど悪化していた時期に、日本の検疫措置は至って簡単なものであり、私は今後の日本の感染状況に不安を覚えたのだ。

入国して、まず行動に移したのは街に出てマスクを買うことだったが、当の昔に売り切れていた。あの時期、どのドラッグストアに行ってもマスクは日本に在住する中国人たちによって買い占められていたのだ。そして彼らが買ったマスクは、中国にある故郷へと送られていたはずだ。

今回の日程には、鹿児島で開かれる公的なフォーラムへの参加も含まれており、私も中国の状況について壇上で話す機会があった。テーマは今後に向けて中国からの観光客をいかに招致するかであり、聴衆は現地の企業経営者、政府機関の職員らだ。彼らの間に、中国の感染状況について特に関心が払われた様子は感じられなかった。その場にいた誰もが、事の重大さを分かっていなかったとも言えるだろう。それでも私は壇上でマスクを武漢に送ることを呼びかけ、その結果好意的な反応をいただくこともできた。

私は日本にいたこの一〇日ほどの間、日本に住む武漢出身者のストーリーを撮っていた。彼らが武漢のロックダウンについてどのように考えているかを知りたかったのだ。『お久しぶりです、武漢（好久不見、武漢）』を撮る考えはこのころに芽生え始めたと言っていい。撮影を続けていると、彼らがいかに故郷の友人や家族を心配しているかが伝わってくる。ありとあらゆるルートを使って武漢にマスクを送ろうと苦心していた。武漢出身者で作る組織はもちろん、在日黒竜江省同郷会、陝西省帰国華僑聯合会、全日本華僑華人社団連合会など、日本各地にある華人関連のグループほぼ全てに連絡を取っていたのだ。

この時に撮影にご協力いただいた武漢出身の孟志さんは、カメラを向けられてもずっと涙を流していた。ちょうど武漢にいる同級生が亡くなったのだという。この同級生は体が悪く、定期的に人工透析を行う必要があったのだが、武漢市内の医療リソースに限りがあるため、満足な治療を行うことができずにそのまま息を引き取ったのだ。このことは孟志さんの心に相当な打撃を与えていた。取材の中で彼は、友人たちのように旧暦の新年を迎えるために武漢に帰っていればどんなによかったか、そして、たとえ武漢から出られなくなったとしても、このような困難な時期を自分の両親や家族たちと一緒に乗り越えようとすることができた方がよっぽど幸せだったと語った。

東京の路上でお辞儀をする少女

私がやっと南京に戻ったのは二〇二〇年二月九日だ。当時、私が住んでいたエリアは入境者に対して隔離政策が行われていた。海外から戻って来た者がこのエリアに入る場合には、まず二週間の隔離が必要となる。私の場合は家族がいたため、一家全員が私と一緒に二週間の隔離生活を余儀なくされた。納得がいかない私は、このエリアを管轄する警備員と口喧嘩になったこともある。感染状況がそれほどひどくはない日本から戻って来て、なぜこのような画一的な措置が取られなければならないのかと食ってかかったのだ。でも、あのような緊急事態でそれなりの効率と成果を得ようとするならば、少々やりすぎに見える対策も必要だったのだと今になって思う。それにあの「隔離」は、今となっては中国においてごく通常の防疫措置となっている。

何はともあれ、毎週木曜日の番組内容の更新は続けなければならない。それに新型コロナウイルス感染症の感染が拡大する中では、もう飲み食いして騒ぐだけのエンタメ番組ばかり撮っているわけにはいかない。では一体何を撮ればよいのだろう？我々は再び頭を悩ますことになった。何しろ当時は、ロケはもとより外出することもままならない状況だ。そこで私が思い至ったのが日本で撮影を進めることができるコンテンツだ。当時、「お辞儀少女」が動画サイトで一世を風靡していた。彼女は日本の中学生で、チャイナドレスを着て東京・池袋の路上で道ゆく人に武漢に送る募金を呼びかけながらお辞儀をしていたのだ。しかも、この活動は私の友人が立ち上げ、動画にも撮っていた。そんな偶然が重なり、私は友人に連絡を取り、その助けを得ながら日本にいる弊社のスタッフがこの「お辞儀少女」の動画を撮ることになった。このようにして出来上がった番組は、中国で大きな反響を呼び起こした。

後に、この少女は駐日中国大使館を通じて募金を武漢に送っている。この一連の出来事は日中両国のメディアがこぞって報道することとなった。そんな騒ぎの中、私の心にひときわ印象に残ったのが、この少女の母親が口にした言葉だ。彼女は自分の娘に向かってこんなことを言っていた。

「覚えておいてね。これはあなたがすごいのではなく、募金をしてくれた人の心が素晴らしいの。あなたはただその人々の気持ちを伝えただけ。だから決していい気になってはだめ。」

撮影を続けるうち、この少女の母親が以前中国で働いていたということを我々は知った。しかもこの母親は、東日本大震災の時に中国の人々が日本に送った募金のことをよく覚えており、そしてそのことを折に触れて自分の娘に伝えていたのだ。両国の人々の心を動かしたこの少女の行いは、このような背景があってこその結果だとい

東京の街中で募金を呼びかける「お辞儀少女」。

取材に応じる「お辞儀少女」とその母親。

「お辞儀少女」から募金を受け取る駐日中国大使・孔鉉佑氏。

うことも忘れてはならない。

この「お辞儀少女」のほかにも、当時の日本には多くの団体や個人が、中国に向けて募金活動を行った。「山川異域風月同天（山と川は違っても、同じ風が吹いて同じ月を見る。場所が違っても同じ自然や志で繋がっている）」という言葉を覚えている読者も多いかと思う。中国版ツイッター・ウェイボー（Weibo＝微博）上では、送られて来たマスクが日本のどの県からのものであるかさえもよく話題になったものだ。感染状況は依然厳しい状況ではあったが、日中両国の人々の心の距離が近くなったひとときであった。

異なる日中の防疫措置

日本側から多くの支援があり、中国を支えようとする動きがあったあの時期。その裏側で、日本の新型コロナウイルス感染症への対策はやはりお粗末であったと言わざるを得ない。当時の私個人の感覚では、日本人はこのウイルスに対する恐怖や危機感があまりなかったように思う。日本の人々の考えを知るために、東京・渋谷の街頭で日本のスタッフが二二人の若者に同ウイルスの感染状況について考えを聞いてみた。

時は既に二月中旬。しかし取材を受けたうちの多くがマスクさえ着けておらず、さらにはこのウイルスに感染した場合の死亡率がわずか二%であることを挙げ、若者であれば大した問題はないだろうと考えていたのだ。この動画を見た私が、すぐにスタッフたちに外出を控えるよう伝えたことは言うまでもない。およそ防疫に関し、日本側の意識と対策は実に危険な状況にあることが感じられた一件だ。

お辞儀をする少女、渋谷での街頭インタビュー、そして日本在住の武漢出身者。これら三つをテーマとする新型コロナウイルス感染症関連の動画は、非常に大きな反響を巻き起こし、私自身もこれまでにないほど注目されるようになった。この三本の動画を世に送り出してからというもの、私は数多くのメディアから取材の申し込みを受けてきた。日本放送協会（NHK）の取材では、私が隔離されている最中であることを知ると「中国の感染状況はそんなに大変なんですか」と驚いた様子だった。まるで自分と新型コロナウイルス感染症が何の関係もないかのように。そこで私は「日本の方がもっと危ないですよ、気をつけてください。中国を他人事のように見ずに、何か対策を取るべきです」とアドバイスしておいた。でも返ってくる答えは「ええ、そうですね」などの、その場限りの言葉だけだった。

私が隔離されていたのは二月二五日あたりまでだ。やっと家から出られるという段になり、ようやく気がついた。「南京の街にこんなに人が少ないなんて！」これが当時の私の唯一の感覚だ。

その月の初め、私が南京に到着したのは深夜だった。しかも家に着くなりそのまま自宅で二週間の隔離生活が始まった。そんなわけで、南京に着いてやっと目にすることができたその街並みと、異様なまでにがらんとした様子には、まるで違う時空に入り込んでしまったかのような錯覚さえ覚えた。「ここはどこだ？　夢なのか？」と。

第三章

『中国・南京を歩く』の誕生

隔離後の驚き

私の隔離生活が終わったのは二〇二〇年二月末、会社もそろそろ作業を再開しようかという頃だった。それまでにもスタッフにはできるだけ在宅勤務をしてもらっていたが、やはり出勤しなければならない要件もある。再開にあたり必要となる防疫措置は、我々の仕事の進み具合に直接影響を与える決定的要素だ。

当時、作業再開を目指す企業に求められた防疫措置は、江蘇省から南京市、金陵区、さらには我々の会社が所在するエリアへと、行政区画ごとに細かく隅々まで規定があった。中でも私が頭を抱えたのは防疫物資の準備だ。額で測る非接触温度計、マスクや消毒液など、中国に戻る際に日本で買うことを考えたものの、日本でもすでに欠品状態が続いていた。最終的には四方八方からかき集める形で無事に再開の日を迎えた。

我々の会社が作業を再開した二月末、日本ではまさに新型コロナウイルス感染症が爆発的に広がっていた。非常に緊迫した空気の日本で、当時最も話題となっていたのは東京が「封城（ロックダウン）」をするかどうかだ。一方、私が隔離生活を終えた二月二五日の南京市では新型コロナウイルスの新規感染者数がゼロとなって六日目を迎えていた。累計感染者数は九三人、死亡者数はゼロと、大都市としてはかなり感染拡大が抑えられている。新型コロナウイルス感染症の広がりについて日中間の対比が鮮明となっていた状況下で、私は南京市の経験を日本の皆さんに伝えようと『中国・南京を歩く（南京抗疫現場）』の制作を決めた。

すぐさま友人であるヤフー・ジャパンのプロデューサーに連絡を取った。彼からは以前、中国の経済・社会ニュースに関する動画撮影の依頼を受けたことがあり、電子マネーの普及やシェアサイクルについての映像を提供したことがある。日本中が新型コロナウイルス感染症への対応に頭を悩ませていた時期でもあり、「中国の防疫措置について興味はあるか」と聞いてみたところ、すぐに返事があり意気投合、すぐさま制作に取り掛かることになった。

三日間。この短編動画に費やした制作時間だ。通常、我々のチームがドキュメンタリー作品を撮るのに最低でも三週間は必要だ。だが『中国・南京を歩く』はニュース性が高い内容で一刻も早い完成が望まれた。それにしても企画、撮影、編集、加工、翻訳と字幕の作成から最後のオンライン公開に至るまでを三日で仕上げるというのは、ミッション・インポッシブルとも言えるものだった。この極めて短い制作時間を前に、我々は最初の段階で「身近にある物語を撮る」という方向性を確定した。自分の家、会社、通勤途中の風景、さらには会社の近くにあるマクドナルドの店舗や地下鉄の駅など、ごく簡単に撮影スポットを決め、あとはなるがままとした。

日本のメディアは中国関連のニュースなどを作成する際に、目を引くコンテンツを作ろうとするあまり内容を誇張したり、ゾッとするようなBGMを流す傾向がある。

「中国は怖い国である」という印象を植え付けるものであり、私には到底受け入れられない点だ。私が身近なストーリーにこだわったのは、それ自体が非常に意味のあるものだと考えたからである。収録した素材の編集段階でもBGMを付けるのはやめた。音楽は入れずに現場の臨場感をできるだけ残すという点は、ヤフー・ジャパンのプロデューサーとの共通認識でもあった。私にしても彼にしても、撮影された内容のどれが良くてどれが悪いものかなど判断はできないと考えていた。ならば視聴者にその判断を委ねようというわけだ。

付け加えておくと、私とヤフーとの提携は対等なものであり、雇用者と被雇用者というような感覚はほとんどなかった。撮影に関してこのサイト側から何らかの要求があったことはなく、企画段階で双方が合意に達した時点で提携がスタートした形だ。作品が完成してからも、彼らから示されたのは「この部分が長すぎるようなので少し削ってもらえないか」というような技術関連のアドバイスのみで、すぐに公開に漕ぎ着けることができた。

三月二日、『中国・南京を歩く』がヤフーで発表となった。サイト側がトップページで紹介してくれた。その後の反響は私の予想を超えるものであった。ヤフーにおいてこれまでで最も注目された動画だったという。

数日もしないうちに、日本の主なテレビ局から続々と連絡が来るようになった。私への取材、もしくは我々のドキュメンタリー作品の一部を使用したいという依頼などだ。テレビだけでなく新聞でも『中国・南京を歩く』が取り上げられ、日本の友人からはひっきりなしに祝いの言葉が届く。疎遠になっていた友人らもテレビで見たと言って連絡をくれるようになった。

一部の立場を異にするテレビ局は我々が提供した映像を使用する際に不愉快なBGMをつけたり奇妙な注釈を加えることがあった。私は怒りを抑えられず、そのようなテレビ局に対しては私の要求通り音楽は付け加えないよう断固として要求した。どうしても付け加える場合には差し障りのないBGMにとどめてもらうこと、それができない場合は映像の使用は差し止めるよう求めた結果、状況はかなり改善した。

日本のニュース番組で使用された『中国・南京を歩く』関連の素材。

　これら日本のメディアとのやりとりにおいては、映像資料に関することだけでなく、取材の場でもうんざりさせられることがいくつかあった。例えば私が「隔離」に触れると、「指示に従わないと逮捕されるのですか」というおきまりの質問が飛び出すといった具合だ。また、中国の防疫措置においては過去数日間の行動履歴など住民の個人情報を提供する必要があることはよく知られているが、この点に対しても日本の一部のメディアは「中国の市民はどうして個人情報を躊躇なく差し出すことができるのか、もし提供を拒んだ場合は逮捕されるのか」と尋ねてくる。いつもこれらの似たような質問に晒される度に、私はこう答えることにしている。「あなた方は中国の一般市民が政府を恐れているのかどうか知りたいみたいですね。でも彼らが本当に恐れているのはウイルスに感染することなんです」と。私から見ると、日本人の方が怖いもの知らずで、中国の市民と比べてこのウイルスの怖さをまだよく分かっていない

日本のテレビからオンライン取材を受ける竹内亮。

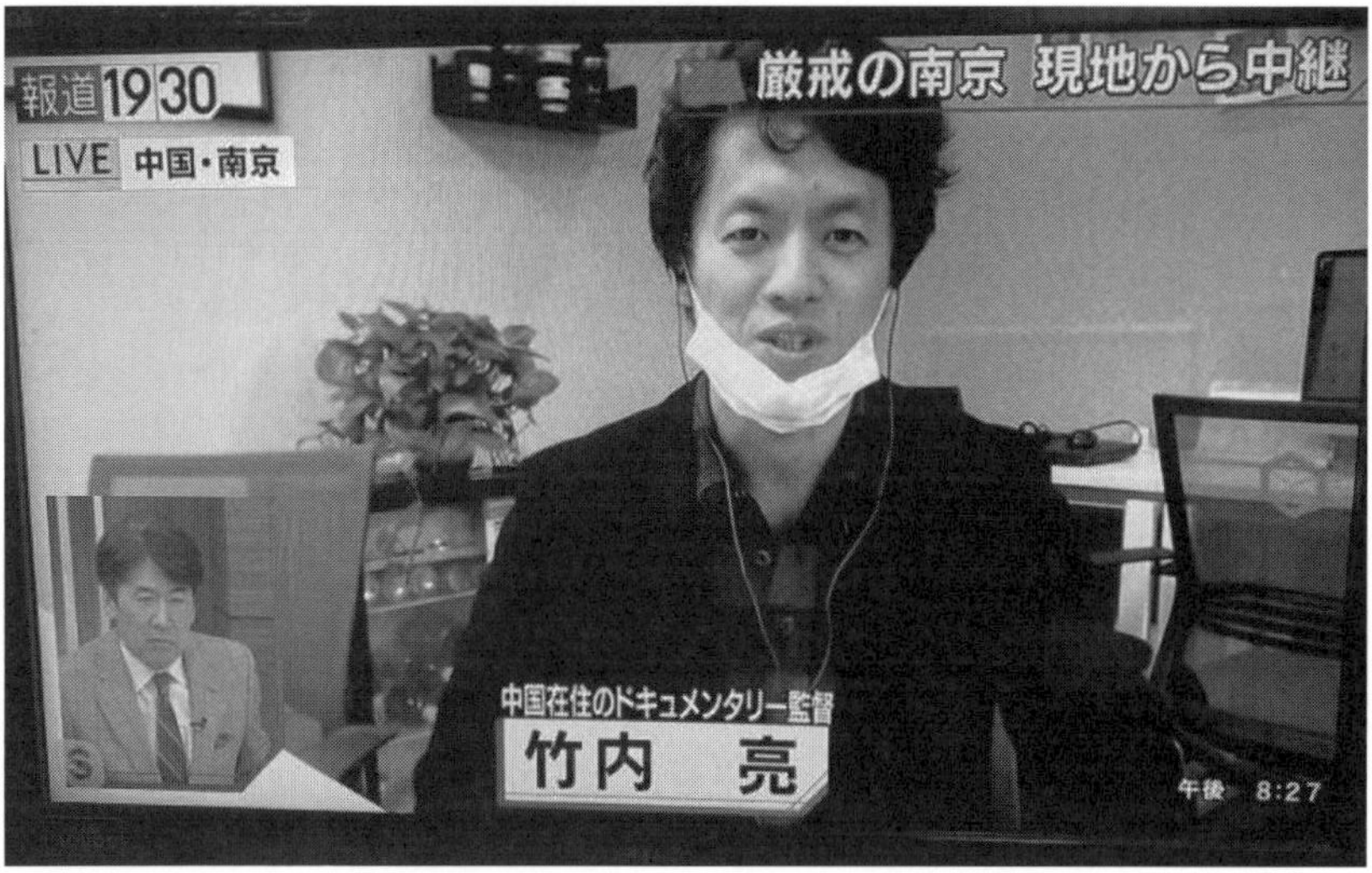

ように思える。

ウイルスの怖さについては、取材を受けるたびに強調してきたつもりだ。日本のメディアの報道によると、新型コロナウイルスの感染による死亡率は「たったの」二％だという。しかし決して忘れてはならないのは、中国がこの二％のレベルを保つためにどれだけの努力を重ねているかということだ。武漢で感染拡大が見られた際、中国は国内全土から四万人強の医療関係者を現地に送っている。死亡率二％は彼らの努力の賜物なのだ。

私が残念に思うのは、双方の立場が真っ向から対立する叱責にも似たこれらのやりとりが、編集の段階でカットされてしまうことだ。彼らはこちらの言うことを聞く気は全くないらしい。もしかしたら、中国が実際にどんな状況に置かれていたのかについて想像力を働かせる余裕もないのかも知れない。

これら既存の主流メディアのほか、インターネット上での反応もチェックした。『中国・南京を歩く』および私についての報道に対して、日本のネット上でのコメントのうち八割は比較的ポジティブなものだったと思う。私の撮ったドキュメンタリーを通じて実情を知り、ウイルスの特性について理解を深めたほか、自分でできる防疫措置を学ぶことができた人が多かったようだ。残りの二割ほどのネット民はドキュメンタリーの内容について一切信じないという態度を堅持しているようだった。そればかりか、これらの映像は全て準備されたものであり、撮影もスタジオで行われているなどのコメントを残す人もいたのだ。このような人々はインターネット上にずっと以前から存在しており、こちらの働きかけで考えを変えてもらうことは非常に難しい。

ネット世論のポジティブな八割に再び言及すると、中国における防疫措置が日本の人々には新鮮に映ったことも影響していると思う。中国の多くの人々にとっては信じがたいかもしれないが、公共の場では入り口で体温を測るというような中国ではほぼ当たり前のようになっていたことが、当時の日本では全く普及していなかったのだ。

オンライン授業もその一例だ。新型コロナウイルスの感染拡大に伴い、中国では全国的に授業をオンラインに切り替える措置が迅速に行われた。その早さには私も驚かされた。私の息子も自宅でオンライン授業を受けていたこともあり、『中国・南京を歩く』にはその場面が多く登場する。その基盤となったのが、中国のＩＴ業界の人間がいち早くソフトウエアを開発した点だ。これにより、教師たちが自分で動画を撮り、編集もできるようになったのだ。これは日本では全く不可能なことだった。なぜなら日本のＩＴ技術は中国ほど生活の細部に入り込んではおらず、普及のレベルも一定していないからだ。また、教師の年齢層が高く若い教師が少ないこともネックである。高齢者は若者よりネット環境とそれに必要な技術に対応することがより難しい。このため、中国の防疫措置は日本の多くの人々にとって驚くべきものに映ったのだ。

人気が日本から中国へ飛び火したドキュメンタリー

『中国・南京を歩く』の日本での反響はかなり大きなものだった。二〇二〇年三月二日にヤフー・ジャパンで発表され、その反響の大きさに我々のチームは翌三日、それならば中国のネットにもアップロードしてみようと決めた。そこで中国語の字幕を付けたうえで中国国内のいくつかのプラットフォームで発表、結果として思いも寄らない大きな注目を集めることになった。

中国版ツイッター・微博（ウェイボー）で発表した『中国・南京を歩く』は、我々のチームが発表してきた作品ではこれまでにない数のクリック数と拡散数を獲得、再生数は累計で一〇〇〇万回以上に達している。再生数の急速な伸びのほか、多くのフォロワー数を抱える「大V」と呼ばれるユーザーたちがこぞってこの動画を拡散した。

やがてこの『中国・南京を歩く』はウェイボーの動画ランキングで全国一位を獲得した。私の作品が全国首位を獲るのはこれが初めてで、あまりのことに呆然としてしまった。なにせこれは日本人向けに撮影した作品なのだ。私はただ身近な出来事を通じて日本人に新型コロナウイルスの感染状況の現状と、中国がどのようにしてこのウイルスと戦っているのかを見てほしかっただけなのだ。私が撮ったのは中国に住む人にとっては極めて普通の、当たり前のことばかりだと思っていたが、それが中国のネット上でこれほど大きな反響を得るとは本当に信じられなかった。

後になって考えてみると、その理由も少しわかってくる。中国では当時、外に出ることができなかった。私がカメラを向けた自分の家庭の日常風景、オフィスとその仲間たち、さらには自分が住む街である南京だ。特に南京は当時の中国国内でも比較的防疫措置が徹底していた都市だ。家に籠っていた中国人の中には、この動画を通じて

『中国・南京を歩く』の発表後、中国メディアの取材を受ける竹内亮。

ウイルスから身を守る多くの方法を学び、さらには外の世界の様子を垣間見ることになったのかもしれない。

中国での反響の大きさについては、当時の中国人が海外のメディアがどのように中国の感染症対策を見ているのか知りたがっていたことも背景にあると思う。当時の中国の公的メディアはこの動画の大まかな内容についての報道を重ねていた。しかも私は日本人であり、ドキュメンタリー作品の監督をしている。このような立場が中国のネット上で一部の人々の目を引いたのであろう。しかし当時の私はこのことに全く気づいておらず、日本の皆さんに真実を伝えたいとの一心で撮影を行っていた。撮った結果それが注目されるかどうかは二の次であり、とにかく撮り続けるのみだった。

『中国・南京を歩く』が中国でも人気となってからは、中国メディアの取材を受けることも多くなった。私の大まかな記録では、二〇二〇年三月二日にこの動画を発表してから同年の年末までに二〇〇社を超えている。ある時は一日に九社以上の取材を受けることもあった。一社当たり一時間としても一〇時間近く話し続けていた計算だ。

中国語と日本語をそれぞれに使い分けて話すうち、自分の脳みそがフリーズするような感覚を覚えたものだ。

『中国・南京を歩く』の発表後は、中国国内だけでなく、海外に住む中国人からの注目度も高まった。これは私が長年携わってきた一連の動画『私がここに住む理由』のおかげでもある。海外に住む中国人を対象にしたこの作品は、同じような状況にある人々の共感を得て多くの人がフォロワーになってくれた。彼らの「英語版をぜひ作って欲しい」との熱い要望を受け、英語の字幕をつけた『中国・南京を歩く』もYouTubeで公開。これで海外のより多くの人々がアクセスしやすくなり、これまでの記録を打ち破る閲覧数を獲得することになった。英語版ができてからは我々の映像素材の許可を求めて英国、フランス、マレーシア、ロシアなどのメディアからも連絡が来るようになった。さらには非英語圏の視聴者がボランティアで字幕の翻訳を引き受けてくれたため、『中国・南京を歩く』は現在十数言語のバージョンを持つに至っている。世界中で計り知れないほど多くの人が視聴してくれたことになる。

南京市的93名感染者已经全部出院，
经过约两个月的外出限制后，街道上又热闹了起来
南京市では感染者93人が全員回復し、
約2ヶ月間の移動制限の後、街に賑わいが戻ってきた

『中国・南京を歩く』第**2**部が公開された時には、南京の新型コロナウイルス感染症の感染拡大はほぼ抑えられていた。

こんなことを書くと、これほどの閲覧数を叩き出した『中国・南京を歩く』でどれだけの収入を得たのだろうと気になる方もいるかもしれない。実際には、このドキュメンタリー作品からは一銭の利益も得ていない。もともと日本の皆さんに中国の感染症対策の実態を知っていただきたいというシンプルな思いから発した作品であり、これほどの人気が出るなど考えもしていなかった。それに当時の海外の主な動画サイトでは、新型コロナウイルス感染症関連の動画について利益が出ない仕組みになっていた。このトピックで荒稼ぎしようとする人が現れるのを防ぐためと思われる。『中国・南京を歩く』は確かに高い評価を得た作品ではあったが、「利益」と呼べるような収入は全くなかった。ただフォロワーが増えたことで良しとしようと考えているし、スタッフにもそう伝えている。

そうは言っても、実際はかなり苦しい状態だったことは否めない。感染防止対策のために様々なプロジェクトがキャンセルされてしまい、三カ月以上全く収入がなかったのだ。

現場に赴く竹内亮。『中国・南京を歩く』第2部より。

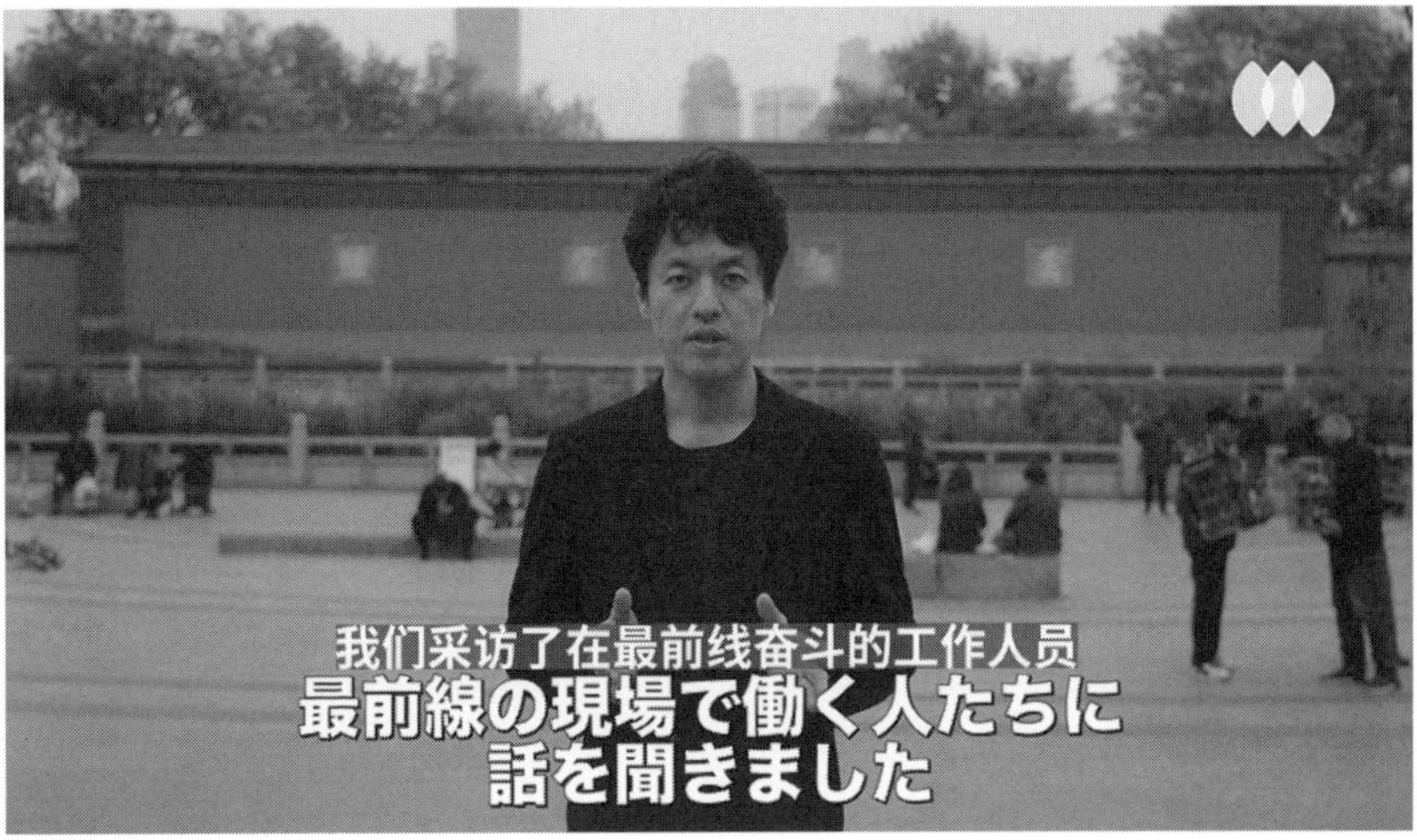
我们采访了在最前线奋斗的工作人员
最前線の現場で働く人たちに
話を聞きました

プロジェクト自体がなくなった以上、業績によって左右される成果給も消えたわけだが、それでも基本給は発生する。約二〇名のスタッフを抱えている私としては、二〇二〇年二月頃には焦りが頂点に達していたが、それでも何とか切り抜けることができた。

『中国・南京を歩く』が大きな反響を得てからすぐに、日本のヤフーサイトに勤める友人から第二部を作らないかとの提案があった。日本の視聴者からもっと現場の様子を知りたいとの要望が多かったようだ。休む間も無く第二部の制作に取り掛かり、出来上がった作品はヤフーのトップページで紹介され、同じように大きな反響を得ることになった。時期としては二〇二〇年四月、中国の多くの都市で普段の生活が戻ってきていた一方、日本では感染状況が拡大し「緊急事態宣言」が発令されていた頃だ。街中では多くの店舗が営業時間を短縮したり営業の停止を余儀なくされていたりと、社会全体に重い空気が立ちこめていた。

「パンダの恩返し」

二月から四月にかけて、日中間の関係には様々な変化が現れていた。二月には中国にマスクなどの支援物資を送ろうという動きが日本国内で見られた。物資が入った箱に書かれていた漢詩「山川異域、風月同天（山や川、国は異なろうとも、風も月も同じ天の下でつながっている）」*が中国の人々に大きな感動を巻き起こしたのはこの頃だ。それが四月になると、今度は日本国内で感染が拡大し、逆に中国ではほぼ落ち着いた状況となった。そのため中国に住む日本人の中には日本に支援物資を送る活動を始めた人もおり、私もその動きに加わることにした。

*唐王朝の全盛期、日本の長屋王が唐の高僧へ袈裟千着を贈った。この漢詩はその袈裟の縁に

刺繍されていた「偈頌」（仏の功徳を説く詩）の前半部分。『全唐詩』に「繍袈裟衣縁」という題で収録されており、中日間の交流に貢献した鑑真和尚はこの詩に感動したことがきっかけで日本に渡ることを決めたと伝えられている。

この五年間、私はずっと『私がここに住む理由』を撮り続けていたこともあり、中国に住む日本人の知り合いが多かった。その中から五人を選んで「パンダの恩返し」というグループを立ち上げ、中国でマスクなどの物資を購入し航空便で日本に送る活動を始めた。この活動は最終的には約六〇〇人規模に拡大した。参加したのはいずれも中国に住む日本人である。参加人数が多すぎてコントロールが効かなくなるのを防ぐため、中国の友人たちには敢えて参加を見送ってもらった。これら六〇〇人を超える日本人の全てに面識があるわけではないが、『中国・南京を歩く』により私の知名度が上がり、信頼も得ていたため「委員長」の役を仰せつかり、この活動の一連の事務作業などを引き受けることになった。

当時の厳しい状況を鑑み、とにかく一刻も早く物資を日本に送る必要があった。ここで物流の問題にぶつかることになる。航空便が一番なのはもちろんだが、感染症対策のために多くのフライトがキャンセルされており、物資を送るのが難しくなってしまった。そこで〔北京市にある〕日本国大使館および上海と大連の日本国総領事館を通じて解決を図ろうとしたが徒労に終わった。最後に頼ったのは中国の物流会社、そして日本にいる多くの中国人の知り合いたちによる惜しみない援助だ。彼らなしにこの物流の困難は乗り切ることができなかっただろう。あの一時期、中国人と日本人は分け隔てなく助け合う雰囲気が確かにあった。今思い出しても心が洗われる。

「パンダの恩返し」としては最終的に一四万枚ほどのマスクを集めることに成功した。送り先は主に日本政府が緊急事態宣言を発令した地域だ。東京都、神奈川県、千葉県などの首都圏や大阪、京都、北海道などにそれぞれ送付した。この一四万枚のマスクには、我々のグループの六〇〇名の参加者のほか、中国の友人たちが送ってくれたものも含まれている。南京市の秦淮区（しんわいく）政府も数万枚のマスクを提供してくれた。「パンダの恩返し」の成功は日本のメディアによって多くの報道がなされただけでなく、中国側のメディアも数えきれないほどの取材を我々に申し込んでくれた。南京市の档案館（ダンアングアン）は動画『中国・南京を歩く』の第1部と第2部を永久保存資料として扱ってくれたこと、我々は同市から外国籍の専門家に与えられる「金陵友誼賞」を授与されたこと、そして南京市委員会書記と面会することができたこと。これらは一生忘れられない思い出だ。

第四章

お久しぶりです、武漢

心に秘めた計画

新型コロナウイルス感染症の拡大時期においては、感染予防や人件費などでストレスを感じることもあった。そんな中でも「動画コンテンツの更新を止めない」という目標を目指し、なんとか毎週更新を続けた。自分としてもよくやったと思う。『中国・南京を歩く』のような人気爆発型のコンテンツは影響力も大きいが、シリーズとしては一回きりである。大変だったのは、感染症予防対策が採られていた時期の限られた条件下で、いかにコンテンツを生み出し続けるかという点にあった。

この時期に制作した作品の中には、閲覧数はそれほど稼げなくとも、私自身はとても気に入っており、かつ非常に意義あるものだと考えているものもいくつかある。例えば我々のフォロワー自身が撮った動画素材をまとめた『我们的〝疫〟天（私たちの一日）』＊。感染症対策にまつわる身近な出来事で構成された作品だ。のちに同様の手法で海外のフォロワーに動画素材を投稿してもらい、『世界的〝疫〟天（世界の一日）』という作品も制作した。普段我々が綿密に計画を立てて撮影を進める作品とは一味違う仕上がりではあるが、多くの方々の協力を得たことで「皆が一丸となってウイルスに立ち向かう」という姿勢を示せたはずだ。非常に価値ある作品だと考えている。

＊中国語の「疫」と「一」は同音。

二〇二〇年初夏の頃には中国全土のコロナ情勢はほぼ落ち着きを見せ、武漢のロックダウンも解除されて一段落していた。それぞれの街が通常の様子を取り戻していた中、ずっと心に秘めていた計画、つまり武漢に行きたいという考えがまた頭をのぞかせた。一月に撮影のため日本に赴き、日本に住む武漢人を取材した時から思い続けていたことだが、私だけでなく、メディア業界にいる人間であれば同じような考えを持っていたはずだ。ただ、政府系のメディアさえ立ち入りが許されていなかった当時の武漢に、我々のようなオウンドメディアのコンテンツ制作会社が撮影に向かうことは土台無理な話だった。

武漢のロックダウンが解除となった四月八日、私は妻に武漢へ行ってみたいという考えを話してみた。だが彼女は今はその時期ではないと言い、私に真っ向から反対する姿勢だったので、結局「もうしばらく様子を見てみよう」という結論に落ち着いた。その後『中国・南京を歩く』の人気に火がついたことで我々の知名度も一気に上がり、多くのビジネスチャンスが舞い込んできた。五月にもなるとそれらの商業プロジェクトの撮影に追われ、私も心の中では武漢に行きたいと焦りつつも、全く収入がなかった三カ月の穴埋めをするために先に金を稼ぐことに注力することにした。五月はこれらのプロジェクトに全力を注ぎ、それが終わってやっと武漢に行けるようになったのである。

武漢に実際足を踏み入れるまでに、はっきりさせなければいけないことがあった。

まず誰が行くのか、そして何を撮るのかの二点だ。監督である私はもちろん行くことになるが、行きたがらないスタッフもいたのである。ロックダウンが解除になったばかりの武漢を撮影の対象にすること自体に反対する人もいれば、撮影に行くのは認めるが、帰ってきたスタッフには少なくとも二週間は隔離生活を送ってもらい、オフィスには入ってきてほしくないと考える人もいた。一部のスタッフが感じていたこのような恐れは理解できたし、その気持ちは私にもよく分かった。会社のスタッフ全員から意見を聞いた上で、最終的に武漢行きのメンバーを募ってみると、七割が自主的に手をあげてくれた。その中から何人かを選び、武漢に向かう撮影班を構成した。

武漢行きの撮影班スタッフは、自分の両親にそのことを伝えていなかったようだ。私も中国の義両親に武漢行きの件は伝えていなかったのだが、いざ出発する日になり何か感じたのだろう、出張先はどこなのかと私に尋ねてきた。この期に及んで嘘をつくことはできない。正直に行き先を伝えると、彼らは反対するどころか「行きなさい」と言ってくれた。だが武漢から帰って改めて当時の気持ちを聞いてみると、やはりかなり心配していたらしい。ただ、私が荷物をすっかり準備してまさに出発しようとしている姿を見て、もう止める事はできないと諦め、受け入れることにしたのだという。義両親の理解にはとても感謝している。

「誰が行くか」が決まった後は、「何を撮るか」である。我々は人物を撮ってきた経験があるため、武漢に住む人々のストーリーを通じて封鎖解除後のこの街の様子を伝えようと当初から考えていた。そのため武漢行きに先立ち、五月にウェイボー上で取材対象者の募集を行った。応募条件は「取材を受け入れてくれること」という一点のみ。すると予想だにしなかった多数の応募者が現れ、数日後に締め切ることになった。応募者の中には我々の作品を見たことがないという人もいた。このような人々は、今回のプロジェクト自体に興味を持って応募してくれたのである。

今回の募集期間中、プロジェクトに協力してくれる意思を示した人々が、応募と同時に私にダイレクトメールを送ってくれることがよくあった。皆が口々に「竹内監督、封鎖解除後の武漢の様子を伝えてくださってありがとう」と感謝の気持ちを伝えてくれるのだ。彼らが言うには、新型コロナウイルスの感染状況が悪化していた時期は、武漢は国内外のメディアの注目の的になった。ところがロックダウンが解除されると注目度は一気に下がったばかりか、武漢についての印象はロックダウン真っ最中の「灰色の悲しい街」にとどまってしまうという現象が起こった。武漢に住む人々は私のレンズを通じて、より多くの人々にロックダウン解除後の、本当の武漢を見てほしいと渇望していたのだ。

それと同時に私が気づいたのは、日本を含む海外のメディアさえもが、ロックダウン解除後の武漢に対して未だに疑い深い視線を向けていると言うことだ。中国が「うそ」を言っているのではないか、武漢はまだ感染者を抱えているのではないか。彼らは武漢という大都市において、これほどの短期間で感染状況をコントロールできるようになったということが信じられなかったのだ。

私の考えも、まだよくまとまってはいなかった。一体誰を信じればよいのかも分からなかった。ただこのような混乱状況にあったからこそ、私は自らカメラを携え武漢

『お久しぶりです、武漢』のポスター。

に行こうと決心できたのだとも思う。なぜなら自分が現地で撮影を行い、世界に向けて発信することによって初めて真相をより多くの人に伝えられるからだ。

私の物語を記録してください

我々一行が武漢に到達したのは二〇二〇年六月一日。初日にして撮影中に喧嘩が始まるなど、思いもかけなかった出来事に次々と出会う印象深い旅となった。

事前の募集によって、一〇〇名を超える取材対象者がすでに決まっていた。だが我々が今回撮影できるのは多くても一〇人程度だ。そこでこの一〇〇名の対象者から一気に絞り込みが行われた。まず四人のスタッフが手分けしてこの一〇〇人に電話取材を行い、まずはどんなお話が聞けるか試してみる。武漢に住んでいる方ばかりなので、伺うことができたお話はどれも貴重なものだ。だが作品の制作のために取捨選択はしなければならない。選択の基準も重要になる。これについては武漢に到着した一

武漢の旧市街を歩く竹内亮氏。

日目からスタッフ内で熱い議論がなされた。一〇〇人を超えるリストの中から、誰を選ぶのか。私に限らずカメラ担当、演出担当など、スタッフそれぞれがこのプロジェクトについて自分なりの考えを持っている。

我々は意見を述べ合い、それぞれの考えをいくつかに分類しながら話し合いを続けたが、最後は私が決断を下すことになった。私が最後まで譲らなかった一点がある。それは「外国人も見たいと思えるストーリーを撮る」ということだ。このドキュメンタリーは中国国内だけでなく、将来的にはインターネットを通じて海外の視聴者にも見てもらうことになる作品だ。以降の撮影は、この基準をもとに進められることになった。

最初の取材先として探し当てたのが、以前は毎日のように華南海鮮卸売市場で仕入れを行なっていたという日本料理店のオーナー、頼韵（ライ・ユン）さんだ。武漢という都市は、コロナの流行前は海外での知名

『お久しぶりです、武漢』の一人目の主人公、頼韵さん。

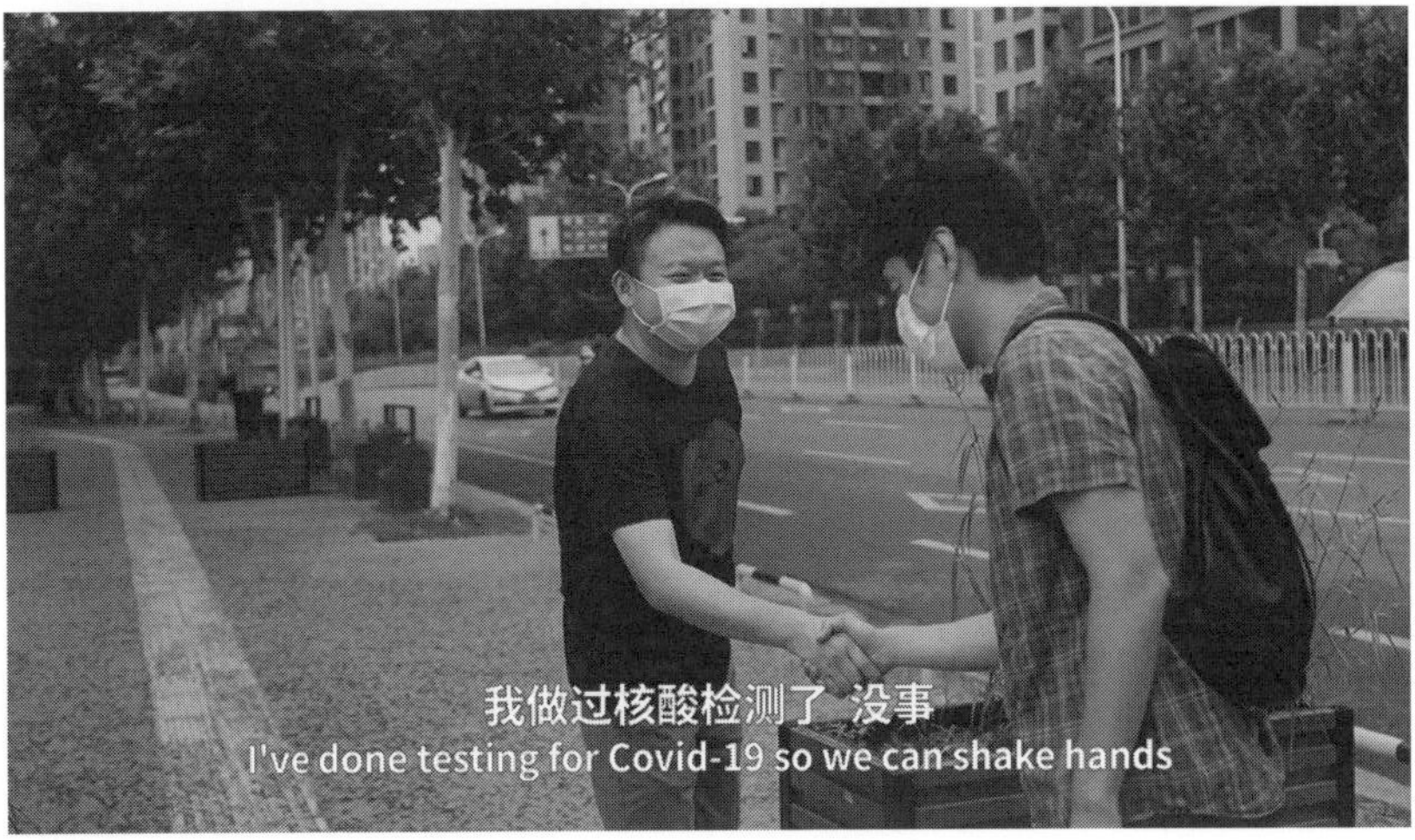
我做过核酸检测了 没事
I've done testing for Covid-19 so we can shake hands

度はそれほど高くなく、日本人にとっても北京や上海、広州、香港、台北などの大都市と比べると馴染みが薄かった。それがコロナの集団感染が確認されたことで全世界に「Wuhan〔武漢のピンイン表記〕」の名が知れ渡っただけでなく、この華南海鮮卸売市場も有名な場所になってしまった。「外国人も知っている」という観点からも、この市場に精通している日本料理店のオーナーはぴったりの取材先であった。頼韵さんは日本での留学経験を経て、のちに日本料理店を立ち上げた人物だ。頼韵さんが日を空けず通ったこの海鮮市場だが、コロナの流行によって閉鎖され、他の食材の仕入先も閉店に追い込まれる中で、武漢市内に数多く存在した日本料理店は次々と倒産の憂き目に遭う。頼韵さんも苦しい状況にはあったが、店はなんとか続けていた。そんな彼の胸には、きっと多くのストーリーが仕舞い込まれているに違いないと私は感じていた。

頼韵さんを最初の取材対象に決めた初日から、その生活を逐一追っていくことにした。その合間にインタビューを挟むという形だ。二日目も同じ手法で二番目の取材先を訪ね、三日目、四日目はスケジュールを厳守するという共通認識で映像の編集も進めていった。リアルさを追求し、わざとらしさを極力なくした。何かを語るために語るのではなく、感動も求めない。我々が武漢入りする前に決めたルールだ。

動画を編集したことがある人なら分かっていただけると思うが、ドキュメンタリー作品においても映像素材を撮った順に配置するとは限らない。一日目にいい内容が撮れた場合は、それを作品の一番最後に持ってくることもある。ただ、今回の武漢での撮影では、編集時の作為的な加工を出来るだけなくし、時間の推移と作品の内容を完全に一致させることでリアリティを持たせるように心がけた。なぜならこのドキュメンタリー作品で一番重要なことは「真実」であり、決して「感動」ではないことを、我々は撮影をスタートした瞬間からよく分かっていたからである。もちろん、作品としてある程度の「感動」はあるに越したことはないが、それでもより必要とされているのは「真実」なのだ。

撮影の一日目、頼韵さんが私に言った最初の一言は忘れられない。彼は私を見つけるとすぐさま歩み寄り、握手するために手を伸ばしながら「どうも、私は核酸検測（PCR検査）を受けているので大丈夫ですよ」と私に声をかけたのだ。今の中国であれば、PCR検査は何ら特別なことでもなくなっているが、二〇二〇年六月のあの時点では「核酸検測」はまだ耳新しいワードであり、この検査を受けたことがある人も少なかった。ましてや人と握手をする際に自分からこのような声かけをするなど考えも及ばない、そんな時期だったのだ。武漢の人々は自分がPCR検査を受けたと言うことで、なるべく他人を心配させないようにしている。私はこのことを、このレストランオーナーの言葉を通じて瞬間的に悟った。武漢に住む人々がどれほど苦労しているかが伝わってきた。

我々は武漢入りする際、事前にマスク、防護ゴーグルなどを含む多くの物資を準備していた。だが武漢に着いてみると、現地の人はそれほど神経質に日々を過ごしているわけではなさそうだった。それどころかリラックスしているようにさえ見えたので、我々も全てが元の生活に戻ったのだと考えていたのだが、頼韵さんによるとやはりコ

龔勝男と武漢で熱乾麺を食べる竹内亮。

ロナの打撃は相当なものだったようだ。ロックダウンによって多くのレストランが倒産し、実際に我々も撮影の合間に多くの店が閉店しているのを見かけたし、店舗譲渡の張り紙が貼ってある店もたくさんあった。華南海鮮卸売市場にあった店の多くは郊外の新しい市場に移転したと頼韵さんは語り、我々をそこに案内してくれた。新しい市場で取材を進める中、私はいくつかの店主に「このあたりでは、コウモリを食べるのですか」と聞いてみた。海外の人が関心を持ちそうな質問だと思ったからだ。この質問に対し、彼らは口々に「食べるわけない。長江にはこんなにたくさんのうまい魚がいるのに、コウモリなんて誰が食うもんか」と答えた。市場にある数千の店舗の中で、野生動物を食用として売る店は一軒だけなのだそうだ。

龔勝男（ゴン・シェンナン）さんと言う若い看護師も印象に残っている。彼女は音楽やダンスが大好きという明るい人柄で、ほとんど彼女の言うままに武漢のあちらこちらを訪ねる形で取材は進められた。黄鶴楼に行ったり、熱乾麺〔練りゴマ、ザーサイ、パクチー、ネギなどを混ぜて食す汁無しの麺。武漢の郷土料理〕を食べたりしながら少し重い質問も試してみたのだが、彼女があまり答えたがらなかったので、そのまま一緒に時を過ごすだけにしておいた。

最後に我々はそれぞれ自転車に乗って彼女の家に向かい、そのまま自宅にお邪魔する流れになった。自転車に乗れるようになったのはコロナ対策のために外出できなかった間のことなのだと、龔さんはその時に教えてくれた。公共交通機関がストップし、タクシーもない状態の下、自分で練習して乗れるようになったのだと言う。家に入ったあたりで私はタイミングを図り、ロックダウン期間中に病院で働くということは一体何を意味するのか、質問を始めた。私はお菓子をつまみながら取材を進めたのだが、これは私なりの「戦略」であり、相手をリラックスさせる効果を狙ってのことだ。この点については、カメラ担当のスタッフから録音上よろしくないと文句を言われてしまったが、よりよい取材のためには仕方がない。

「あの頃は、やはり大変だったんじゃないですか？」第一声でそう問いかけると、龔さんは涙をこらえきれず「もう撮らないでください」と言いながらも病院での経験を語ってくれた。突然の涙に私もとっさにどうしたらいいのか分からず、びっくりするやらぼうっとするやら。そんな様子もしっかりカメラに捉えられている。ドキュメンタリー作品の監督自身が画面に現れることについては、疑問を抱く方もおられると思う。でも私は、これもある種のリアリティであると考えている。ドキュメンタリー作品は、他の動画作品のように事前に細部まで詰めてから撮影を行うわけではない。だが、それでもある種の操作性は必要とされる。それをレンズに映らない場所で行うより丸ごと撮ってしまうことで、私なりの真実性を追求しているのだ。

我々撮影クルーの心を動かした、荘園（ジュワン・ユエン）さんという名のもう一人の若い女性がいる。この取材対象者募集に応じた理由について、二〇二〇年の前半に起こった様々なことを覚えていたいからだと語ってくれた。彼女の家族も何人かが新型コロナウイルスに感染し、そのうち母方の祖父が亡くなってしまったのだという。幼い頃からずっとこの祖父に育ててもらったため、特別な思いがあるようだった。我々の募集に反応してくれた人たちの中で、家族がコロナで亡くなったという人はかなり少ない。では荘園さんは自身の悲しい出来事をなぜ我々に話してくれようと思ったのかと聞いてみると、いつか忘れてしまうのが怖いからだと彼女は答えた。自分は忘れたくない、だからレンズの前でこのことを記録してほしかったのだと。こう答える間、荘園さんはずっと涙を流し続けていた。この心の中にずっと秘められていた思いを吐露するまで、私はずっと注意深く彼女の反応を見ていた。直接聞いてしまうのではなく、彼女自身で話してくれる時機を待っていたのだ。

後になり荘園さんは、ずっとこの取材を受けるべきかどうか迷っていたと話してくれた。応募はしたものの、最後の瞬間まで迷っており、我々の演出担当スタッフと話しながらやっとレンズに向き合う勇気が出てきたのだという。この彼女の勇気は、私と撮影クルー全体に武漢での撮影をやり遂げる力を与えてくれた。彼女にはとても感謝している。

全体を通じて、撮影は順調に進んだと言っていい。だが残すところあと二、三日という段階になって、私が病気になるというアクシデントがあった。夜中の一時ごろに腹痛を感じたのだ。死ぬかと思うような痛みだったので、同僚に頼んで救急車を読んでもらった。運ばれたのは市内にある武漢協和医院、新型コロナウイルスの感染拡大が著しかった時期には多くの感染者が運ばれてきた「重点医院」である。

病院に到着してからもひどい痛みは続いた。手が震え、呼吸も荒くなるというこれまでに経験したことのない病状に、自分はもう死ぬのだと何度も覚悟した。しかし明け方という時間帯だったために当直医師は一人のみ、当然多くの急患に対応しきれない状態だったので、私もその列に並んで待つしかなかった。痛みに耐えている間、ふと武漢がロックダウンしていた間のことを考えた。きっと多くの武漢人が私と同じ状況を味わい、痛みや恐怖に震えながら限界を超えた医療体制の中で自分に順番が回ってくるのをひたすら待っていたのだ。それが何と頼りなく心細いことか！　当時の武漢がどんなに困難な状況にあったのか、今回の体験で身を以て知ることとなった。

一方で、当時の状況の難しさは、武漢の人々が持つ類まれな辛抱強さ、そして今後彼らを待っている新しい生活に対する楽観的な態度を我々に印象付けるものとなった。

『お久しぶりです、武漢』のポスター。

その一例として、今回の撮影の対象となった熊怡珺（ション・イージュン）さんの言葉を紹介したい。彼女は学校の先生をしながら、武漢のグルメや面白い出来事などを動画に撮って個人メディアに積極的に投稿している。「コロナウイルスの感染拡大により多くの人が大切なものを失うことになった。だがそれと同時に武漢の名が世界的に知られるようになったことで、将来的にはこの地の美味しい食べ物や景色、そして文化を伝えるきっかけになると思う」。このような楽観性と度量の深さは、私が撮影中に多くの現地の人々に共通するものだった。

最終的には「外国人としての視点」を重視し、撮影対象は十名となった。だが選ばれなかった人たちの中にももちろん素晴らしいストーリーがあった。例えば演出担当のスタッフが推した出産したばかりの母親、半年もの間舞台に上ることのなかった俳優などだ。どの候補者にも掘り起こすべき原石があった。取捨選択はやむをえないこととはいえ、十名に絞ることになったのは今考えても惜しい限りだ。

武漢よ、また会う日まで

最後の段階になり、このドキュメンタリー作品に『お久しぶりです、武漢』という名を付けたのにはいくつかの理由がある。まずロックダウンから我々が撮影に向かうまで半年近くの時を要していたことだ。タイトルにある「お久しぶり」は、多くの人々が武漢という街に対して持っていた実感を表す言葉だった。また、我々は二〇一七年に武漢でカレーのレストランを経営する日本人男性、島田孝治さんを取材したことがある。それから三年経って再び武漢の街を訪ねることになり、しかもその間、新型コロナウイルスの感染拡大という特殊な時期も過ごした。この街との再会には感慨深いものがあったのだ。もう少し深い意味もある。「お久しぶり」とはそもそも、外

『武漢の声を聞く』の撮影風景。

部の人の視点に立つものだ。武漢に住んでいる人なら「お久しぶりです、武漢」などと言うはずがないのだから。我々の記録は外地に住む人間、もしくは外国人の視点からのものだ。これらの点を考慮してこの作品の名前が決まった。

『お久しぶりです、武漢』が公開されて半年後、我々のチームはその続きとなる『武漢の声を聞く（中国語名：听武汉说）』の企画を立ち上げた。内容は街頭インタビュー、とてもシンプルなものだ。小さな黒板を用意し、インタビューを受けてくれた人たちにこの一年で失ったものと得たものを書いてもらう。この撮影でも他の地域とは違う、武漢人らしさを感じることになった。例えば感染予防対策についても、武漢の人々は自発的に行動する傾向が見られた。道を歩いていても、マスクを着用している人の割合は多い。タクシーの乗った時には、運転手から必ずマスクを着けるように促され、従わなければ乗車することはできない。コロナウイルスの影響によってこの街が変わっていったことを実感した。

また、この一年で失ったものと得たものという質問に対する回答も、ほかの地域とは違った傾向が見られた。新型コロナウイルスの感染症により亡くなった人が（当時は）存在せず、ロックダウンも行われていなかった南京市と比べ、武漢市の場合は家族や友人、仕事や会社を失った人が多くいた。得たものとしては友情、家族のつながり、愛情などを挙げてくれた人が多かった。このような大きな変化の中で、物質的なものの記憶は時の流れに消えてゆくが、精神的に得られたものは時間が経過しても長く心に残るのだ。

第五章

ポストコロナ時代の中国

「壁」を超えて得られたもの

二〇二〇年も後半に入ると、ネット上で公開したドキュメンタリー作品『緊急ルポ新規感染者ゼロの街　新型コロナ封じ込めを徹底する中国・南京を歩く（中国語タイトル：南京抗疫現場）』や『お久しぶりです、武漢（好久不見、武漢）』の人気に火がついた。それと同時にメディアからの取材依頼が続けざまに入るようになり、私個人、そして私のチームの知名度がぐんと高まった。その結果、通常の事業提携だけでなく、それまでは雲の上の存在だったような相手と仕事をするチャンスも舞い込んできたのだ。

実は（以前手がけていた）グルメやエンタメ系の内容は、私が最も得意とする分野ではない。これらの仕事はあくまで戦略的な選択だった。つまり日本人であり、且つオウンドメディアのコンテンツ制作会社を運営している私にとって、市場でのポジションを確立するためには日本文化に関連する娯楽番組を発信することが一番手っ取り早かったのだ。ただ一方で、撮影対象がこれらのコンテンツに限られたため、フォロワーも比較的小さな日本好きの人々の輪の中にとどまっていた感がある。『新規感染者ゼロの街』や『お久しぶりです、武漢』は、中国の一般の人々にとって無名に等しい存在だった私たちの壁を一気に取り払うきっかけになったと言えるだろう。

また、私はもともと（日本では）経済や社会、人文系のドキュメンタリーを手がけており、個人的にもこれらのいわゆる「ハード系」に対する関心の方が高い。ただ、日本人ドキュメンタリー監督としてこれらの対象を中国で撮影する場合、その困難度がよりレベルアップすることは皆さんにもご想像いただけると思う。そもそも一介のオウンドメディア会社の取材など受ける必要もない聯想（レノボ）やアリババといった超有名企業が、私からの取材を受けてくれることはまずないと言っていい。そんな中、この二本のドキュメンタリー作品が好評を博し、メディアがこぞって報道するようになると状況が一転、大企業だけでなく一部の政府機関までもが、私が何を撮りたいのか話ぐらいは聞いてくれるようになったのだ。以前だったら想像すらできなかったことであり、ドキュメンタリー監督としてもかなり嬉しいラッキーな巡り合わせだったと思う。そこで私はこれを機に、かねてから胸に秘めていたもう一つのドキュメンタリー、『ポストコロナ時代』の企画を準備することにした。

『ポストコロナ時代』のポスター。

中国での経験を海外へ

私が『ポストコロナ時代』を手がけた理由は単純だ。コロナウイルスとの戦いをくぐり抜けてきたこの一年の経験を海外に伝えたいと思ったからだ。中国はこの間、新型コロナウイルスの感染拡大を抑え込む一方、経済の落ち込みを回復させている。これは世界でも数少ない例ではないだろうか。他の国もこの二つをどうにか実現しようともがいてきたが成功したとは言えず、日本の対策も残念ながら「二兎追うものは一兎も得ず」さながら、どっちつかずの結果となっていたように思う。特に二〇二一年は「緊急事態宣言」が幾たびも発令され、また一日当たりの新規感染者数が日を追うごとに更新されるなど、とにかくひどい状況に陥った。

レノボグループ武漢工場のスタッフと。

でも中国は違う。胸を張って「我々はどちらも達成することができた」と言うことができるのだ。もちろん中国もコロナに打ちのめされていた時期はあり、経済も相当な打撃を受けた。ところが今では経済は多方面で回復している。私がドキュメンタリー作品を撮りたいと思ったのは、中国がくぐり抜けてきたこの状況を皆さんに見てもらいたいからでもあり、それこそが『ポストコロナ時代』のテーマだ。また、このような状況下で中国では急成長した企業さえもある。人々が不安におののいていた二〇二〇年、その前年よりさらに発展を成し遂げた企業の秘密もぜひ解き明かしたいところだ。

そこでまず、我々は武漢にある聯想集団（レノボグループ）の工場へ撮影に向かった。これは同グループが世界各地に持つ工場でも最大規模で、従業員数は一万三〇〇〇人以上、なんと二〇二〇年一月に武漢で感染が拡大してから現在まで感染者数がゼロ、この時期の売り上げは減少するどころか倍増しているという。工場内では独自に開発した感染防止システムと健康コードを採用、外界と完全に隔離されている環境を作り出しているばかりか、この一万三〇〇〇人超の従業員一人一人の毎日の行動や体温を管理している。例えばプリ

「菜鳥網絡」の無人宅配車両。

ンターの紙の補充というような細かいところまで専属の従業員が行い、共有した物から感染が拡大する交差感染の可能性を抑えているのだ。その細かい気配りと徹底ぶりには脱帽した。

アリババグループが行なっている自動運転トラックによる無人配送の取材も行った。新型コロナウイルスの感染拡大に伴い、人々が直接接触する機会を少なくする必要に迫られる一方、オンラインショッピングの利用者は増加する一方で宅配は欠かせない事業となっていた。そんな中、無人配送システムが開発されたと聞き、駆けつけたわけだが、そこでは宅配業務の中でも最も難しい過程、いわゆる「最後の一キロ」がきちんと処理されている光景を目の当たりにすることになった。無人化技術の分野ではこのほか、同グループの物流関連企業「菜鳥網絡」が所有する全工程を自動化した無人倉庫も取材した。

中国の大幅な技術的進歩のほか、私たちが注目したのは中国人のビジネスおよび経済的豊かさに対する情熱だった。例えば浙江省義烏（イーウー）市にある北下朱（べイシャアジュウ）村。中国では「ライブ配信の村」の呼ばれ、なんと住民のほとんどがインターネットの動画生中継で商品を販売しているという。義烏は国際貿易都市としてよく知られているが、とにかく街の全てが貿易産業を中心に動いていると言っても過言ではない。ところが新型コロナウイルスの感染拡大により、この貿易が一時的にストップしてしまった。そこで彼らが目を付けたのが国内市場で、スマホのアプリを活用してライブ配信による商品販売を始めたのだ。義烏の強みは商品の種類が豊富で低価格なことだ。あっという間に人気に火が付き、全国からビジネスチャンスを求める人材が殺到、この「ライブ配信の村」で配信方法や動画の撮影技術を学ぶようになった。この村を歩いていると、ライブ配信をしている人をよく目にする。動画作成・編集を教える教室も多く、ここでは美女だろうがおじさんだろうが関係なく、皆が一緒になってＩＴ技術を熱心に学んでいるのだ。

もちろん、彼らが成功を手にすることは非常に稀だということは私にも分かっている。でも彼らはそんなことにはお構いなしに成功を望み、努力を続けている。それは

2020年の南京マラソン大会は予定通りに行われた。

浙江省にある巨大な映画スタジオ横店影視城をさすらう「横漂」が、ほんの一部の成功者やスターだけを見つめているのとよく似ている。日本ではありえないことだ。なぜならそんな「現実離れ」したことを追い求めるのは無駄だと思ってしまうから。でも私は、中国人のこの夢を追い求める姿勢が好きだし、これぞ中国という社会現象だと思う。経済的な豊かさの追求とは別に、「夢を追う」という行為には中国人の楽観的な考えも垣間見られる。例えば『ポストコロナ時代』でも紹介した南京でのマラソン大会のスタート場面。一万人のランナーがマスクを取り、思い切り空気を吸い、大勢が一体となって前に進んでいた。このようなワクワクする感じと楽天さを目の当たりにすると、胸に迫るものがある。日本も早くこんな風に、コロナ禍がもたらす陰鬱さから抜け出せればいいのにと願わずにはいられない。

こんな経緯もあり、『ポストコロナ時代』は日本の皆さんにもネットを通じて見てほしいと考えていた。日本の一般の人々に、中国と中国人についてよりよく知っていただきたいと思う。

スピードが命!

日本人と中国人による物事の処理方法の違いをここで述べてみたい。中国に長く住む日本人として、この違いを痛感することは非常に多いからだ。

例えば取材形式。私自身にとって身近な領域でもある。日本のメディアが私を取材する場合、私に関する資料を読み込むなどかなり周到な準備が行われた上で、二時間ほどの取材が行われる。ただ、映像として実際に使われるのは、このうちたった一五秒ほどだ。効率が悪いと言うしかない。

これが中国のメディアとなると効率とスピードが最も重視される。私のことなど全く知らずに取材を申し込んできて、日時を決めたらそのまま会いに来る。そして一〇分ほどで取材を終えてさっさと引き上げていくのだ。ある動画制作会社の場合など、取材時に機材を持たずに手ぶらでやって来たぐらいだ。お前の会社自体が動画を撮っているのだから道具ぐらいあるだろうということで、うちの会社の機材とライト一式を使って取材をして帰っていった。かなり衝撃を受けると同時に、そのあまりの「中国」っぷりに感心してしまったのを覚えている。

こんなことを書くと、なんていい加減なんだと思う人もいるかもしれない。でも私は融通が利く人たちだと思うことにしている。日本のやり方だって、日本人にしてみれば仕事に真剣に向き合っている証拠だと言いたいところだが、中国人にしてみたら効率が悪すぎるということになってしまう。とにかく良い悪いは別として、お互いが異なるやり方で物事を進めるのだとここは認識しておくべきだと思う。

中国人のこの柔軟性の高さは、武漢でのコロナ対策にもよく表れている。私たちは二〇二〇年六月一日、つまり『お久しぶりです、武漢』の撮影開始前日に武漢入りしたのだが、これは折しも同市当局が約一〇〇〇万人の全市民を対象としたPCR検査を完了したと宣言した日でもあった。たった二週間のうちに一〇〇〇万人の検査を行うなど、他の国では考えられないようなことをどうやって成し遂げたのだろうか。後になって聞いたところによると、一〇検体混合方式という新しい検査方法を開発したことが大きく貢献したらしい。まず一〇人分の検体を一つの試験管でまとめて検査し、その結果が陰性であればこの一〇人全員が陰性だと分かる。もし陽性が出た場合は改めてこの一〇人の検体を個別に検査する。かなりシンプルな改善方法ではあるが、全体としての検査の効率は大幅にアップした。これも中国独特のイノベーションだと言えるだろうし、ぜひ世界に向けてもっと発信してほしいところだ。

日中の違いのはざまで

『ポストコロナ時代』がオンラインで発表されると、その反響は大きかった。中国ではとくに微信（ウィーチャット／WeChat）でまず人気に火が付き、それとほぼ同時にヤフー・ジャパンのトップページにも掲載された。私の作品としては過去一年間にこのトップページに載った三つ目の作品であり、この三作品全てが中国のコロナ対策と関連が深い。

日本の他の媒体と比べて中立性があるという点で、やはりヤフー・ジャパンというプラットフォームは重要だ。伝統的なメディアであればあるほど、リベラルな左派だとか保守的な右翼などという基本的な立場が確立されているものだが、日本のヤフーはコンテンツを掲載するだけのプラットフォームであり、内部の編集者も他の媒体からコンテンツを取り出す作業をすることを主としており、特に明確な立ち位置は取っていない。

ただ、中国のネットユーザーの中には日本のヤフーは右翼だと思っている人もいるようだ。ただ、正確に言えば、これも記事のコメント欄に対する印象だ。コメント欄に書かれる内容はプラットフォームの抑制が効かず、また日本のネットユーザーには確かに右翼的な思想を持つ人も多い。普通の人はコメント欄に長い文章を上げるほどの熱意は持っていないので、コメント欄だけ読んでいると確かに右翼が多いような印象を与えてしまうのは否めない。私も以前はコメント欄になるべく中立的、客観的な意見を書こうとしたのだが、ネットユーザーたちに罵られるという経験を何度か経たのちに諦めてしまった。時間の無駄だし、こんなネットユーザーと言い争いをしても意味はないと思ったからだ。

結果として、『新規感染者ゼロの街』や『お久しぶりです、武漢』と比べると、『ポストコロナ時代』の日本のヤフー上での評価はそれほど高くはなかった。その背景について、『環球時報』（中国共産党機関紙である人民日報系）では以下のような解説がなされている。

「『新規感染者ゼロの街』がアップロードされた時点で、新型コロナウイルスの感染状況は中国国内にとどまっていたことが大きい。ちょうど日本から中国に向けて「山川異域　風月同天」という漢詩を添えた支援物資が送られるなどしていた頃で、日中関係も良好、日本のネットユーザーも比較的客観的で理性が保たれていた。ところが『ポストコロナ時代』が発表された時期には日本だけでなく世界中に感染が拡大しており、中国では逆に感染抑制対策の効果が存分に発揮されていた。そんな状況下で人々の気持ちにも微妙な変化が現れたのか、『ポストコロナ時代』には批判的な意見も多かった。ただ、それだけにこの作品が持つ意義は大きかったと言える。」

個人的にはこの同紙の解説に賛同する気持ちが大きい一方、日本での人々の受け取り方が変化したことにも理解は示したい。

中国国内では『ポストコロナ時代』は非常に好意的に迎えられた。とりわけ中国外交部の華春瑩報道官にお褒めの言葉をあずかった件については書き残しておきたい。華報道官は二〇二一年一月六日の外交部の定例記者会見でこの作品に触れ、「感染対策や工場の生産再開など中国の真実を記録してくれた。竹内亮監督の見方に偏見はなく、この時期における中国の困難な歩みを映し取っている。中国としても各国のメディア関係者に対し、中国に関する報道を行う際には心と感情を駆使し、このように見た目からだけでは分からない、たゆまぬ発展を続け、友好的である中国という客観的な真実を伝えるよう努めていただきたい」と発言したのだ。

このニュースが出たその日から、私の携帯電話は始終鳴りっぱなしだった。ウィーチャットやウェイボーを通じて絶え間なくダイレクトメールが届き、「華春瑩に褒められてるよ！」と知らせてくる。そんな知らせは、中国外交部の記者会見を毎日のようにチェックしている日本のメディア業界で働く友人からも届いた。日本における華報道官の知名度はかなり高い。河野太郎氏が外務大臣として中国を訪問した際、一緒に自撮りを行い、それを彼がSNS上の自身のアカウントで公開したことがあるからだ。華報道官の優しい微笑みと柔和な態度に日本の多くのネットユーザーも好感を持っている。日本の友人からは冗談めかして「おめでとう、すごいね！　これからは竹内亮を見習いたいよ」などと言われたりもした。

その頃、私はちょうど会社の会議に出ており、すぐにスマホをチェックできなかったのだが、やっとスマホを見たときには大量の通知に驚いた。しばらくして華報道官の発言を読むことができたのだが、私は自分が撮りたかったものを撮りに行っただけだし、何も壮大な目標を持っていたわけではないので、ちょっと褒められすぎかなとは思う。日中友好に少しでも貢献できたとするならば大変光栄に思うが、それはあくまで結果であり、当初はそのような考えはほとんどなかったのだから。

日中間で『ポストコロナ時代』への評価が分かれたのは、私も心の準備をしていた

中国CCTVの有名トーク番組「面対面」に出演。司会者の董倩氏と。

ものの、今後の見通しについてもう一度考えるきっかけになった。私個人や私のチームにより多くの注目が集まる中、今後の作品には様々な評価が下され、比較もされるようになると思う。これまでに増して考え抜いたコンテンツを出していく必要があるだろう。

事実、日本国内では私に対する批判的な声も出ていると聞く。一部のネットユーザーの間では私が中国政府から宣伝費用を受け取り、中国のイメージアップに加担しているとする見方もあるようだ。

このような声が出るのも仕方ないことだとは思いつつ、やはり自分のルールはしっかり守っていかなければならないと改めて感じている。そのルールとは「ダブルスタンダードは避ける」というものだ。私のチームがコンテンツを制作する際の最も重要な原則でもある。

ダブルスタンダードとはつまり、我々のコンテンツの発表の場が日本か中国かにかかわらず、その内容は同じでなければならないということだ。ある内容について部分的な調整を行ったり、その結果どちらか一方で発表されたコンテンツがもう一方とは違ってくる、などということは絶対に避けなければならない。しかし実際、この原則を守るのは決してたやすいことではない。視聴者が求めるものは日本と中国では必ずしも同じではないし、その中間地点でうまくバランスを取るのは至難の業だが、このルールを守りぬくよう努力を続けているところだ。

第六章

中国の少年

二〇二一年四月二八日、我々は『大涼山へ（走近大涼山）』という名のドキュメンタリー作品を公開した。私が長年温め続けていた計画だった。四川省南部に位置する大涼山には、二〇一〇年に長江の撮影を行うために中国へ来た際、一度訪れたことがある。それから十年を経て再びこの地に来ることができた時には、とても深い感動を覚えた。

今回の撮影では「脱貧困」のプロジェクトがここ数年でかなり成果を上げているのが感じられた。それにも増して印象深かったのは、大涼山で出会った素朴な子供たちだ。辺境エリアの教育事業を支援する「支教」＊の教員たちのもと、子供たちは必死に勉強し知識を身に付けようと努力していた。外国人コーチにサッカーを教えてもらいながら、いつかはサッカー選手として名を挙げたいと夢見る子がいれば、出稼ぎに出ている両親が早く故郷に来られるよう願う子もいた。住んでいる場所は辺鄙な場所と言えるかもしれないが、子供たちの目の輝きは他のどの地域の子たちとも違っており、中国の未来を背負っているかのように私には思えた。

＊「支教」の正式名称は「支援落後地区郷鎮中小学校教育和教学管理工作」。年間数千名の若い教師がボランティアとして辺境エリアでの教育に携わっている。

前に突き進む中国人

深圳にも、同じように夢を追う若者たちがいた。最近、深圳で働く日本人の「90後（一九九〇年代生まれ）」を撮影する機会があった。この地で起業する若者もいれば、中国の新興企業で働く人もいる。仕事の合間にSNSに動画をアップロードする人もおり、自分が見聞きした深圳のハイテクぶりを日本の友人やその他の視聴者にシェアしているのだった。

私は彼らに、中国または深圳にきて一番びっくりしたことは何かと聞いてみた。すると、皆が口を揃えたように、中国の日進月歩の変化とその速度を挙げるのだった。これは確かに日本では体験できない点だ。

実際、中国で一度でもそれを味わうと、「手順」にこだわる日本のやり方にはなかなか慣れることができなくなる。北京や上海、広州などの一定のレベルに達した大都市で暮らした後は、日本で暮らすのが苦痛になってしまった。そう漏らす日本人の友人は、一人や二人ではない。

この点については私も同感だ。日本の多くの職場はいまだに年功序列の概念が残っている。毎日の仕事はタイムカードを押すだけ、外部からの刺激を全く受けずにいるような状態で長く過ごしていると、年が若い人であっても倦怠感を感じ、活力を失う。私も中国で過ごすうち、もう日本のそんな生活には戻れないと思うこともある。戻るとしたら退職後になるかもしれない。

中国の都市部で暮らす若者は、この秒速レベルで変化する環境の中で日々努力を重ねている。私の会社にも若い人が圧倒的に多く、私より十歳以上若いスタッフもいる。皆自分の考えをしっかり持ち、独創的かつ野心的だ。そしてほぼ全員が将来は監督になるつもりでいる。

だが同時に、会社の管理層としてはこれほど管理しにくいスタッフもいないだろう。日本の若者とは比べものにならない。また自分の会社を例に挙げてしまうが、どのスタッフ

大凉山の子供たちと並ぶ竹内亮。

大涼山のサッカー少年と竹内亮氏

KELME

も基本的な、繰り返しの作業をやりたがらない。面白くてためになる、チャレンジ性のある仕事を毎日求めているのだ。もちろんクリエイティブを主体にしている会社であるため、若者が果敢にチャレンジしてくれるのはよいことなのだが、仕事によっては彼らの考えに沿わない部分も出てくる。そんな場合には考え方の違いから来る摩擦や矛盾は避けられない。

一方の日本では、若者の多くは理不尽な待遇に甘んじる傾向があるように思う。それに最初の段階では基本的、且つ繰り返しの多い仕事も受け入れる人が多い。日本のことわざ「石の上にも三年」とはよく言ったもので、すでにそれが価値観となっていると言えるであろう。職場以外、例えば起業に対する考えも、日中の若者の間では天と地ほどの違いがある。日本では失敗を恐れるため、起業する若者がとても少ない。それに日本人の習慣として周囲の環境と人に合わせる傾向があるため、周りの人の反応を見ながら事を進めがちだ。もし起業するのが当たり前の社会であれば、きっと日本の若者も積極的に起業を考えるのではと思うこともある。とにかく、日本は独り立ちして物事を考えることが難しい環境なのだ。

もしここに実際に起業をした日本の若者がいたとしたら、周囲の人間はきっと、口先では「さすが若者」と持ち上げるだろう。でも内心では「社会のルールもまだ知らないうちに起業などしても今に失敗するさ」と思っている。しかし今の中国でそのように起業家を見る人は、それほど多くはないのではないだろうか。

中国でも最近は、日本の「低欲望社会」を論じることが多くなってきた。これは的を得ていると思う。特に私の年代の人間にとって、日本の今の若者は実に「低欲望」であり、より消極的な「佛系〔草食系に似る〕」でさえある。私の若かった頃には、周囲の友人の多くは海外に留学をしていた。あの頃の若者は海外について好奇心いっぱいで、新しい事を体験し学びたいという欲望が非常に強かった。だが今となっては留学に行く若者は少なくなっていると聞く。この点について、もちろん若者だけを責めることはできない。なぜなら日本の社会はある一定の水準に達したことで、未来の発展に向けられるスペースが相対的に少なくなってしまった。そんな社会で、多くの若者が努力をしても成果はあまり得られない、頑張っても無駄だと考えるのも無理はない。

このような周囲の環境の違いが、日中の若者の生き方に大きな差を生んでいる。日本の若者はより「佛系」へ、一方で中国は前に向かって突き進んでいくというわけだ。

中国の「後ろの波」*

中国では一時期、若者を「後浪（後ろの波）」呼ぶことが流行となった。一九九〇年代、二〇〇〇年代生まれの若者たちが就職する年齢に達し、消費の主体となるにつれ、社会全体がより若者世代に目を向けるようになったことが背景にある。つまり彼らが社会の発展に欠かせない重要な層となったというわけだ。私から見た中国の「後浪」たちについて書いてみたい。

*中国のことわざ「長江後浪推前浪」から。直訳では「長江では後ろの波が前の波を押し進める」となる。「後ろのものが前のものに促すことで絶えず前進する」ことの例えで、「後輩が先輩を追い越す」意味にもなる。「後浪（後ろの波）」は「イマドキの若者」の意。

小米の本部で撮影を行う竹内亮。

二〇二〇年八月、私は取材のためスマートフォンメーカー小米科技（シャオミ）を訪れた。これが実に私の視野を広げてくれる貴重な経験となった。同社の社員数はおよそ一万人、紛れもない超大型企業だが、なんとその平均年齢がたったの二十四〜二十五歳なのだ。日本で同規模の会社があるとしても、平均年齢が二十代であることはほぼあり得ない。前述したように、私は以前経済関連の番組制作に携わっていた経験があり、多くの日本企業を訪ね歩いてきた。だが、小米のように会社の上層部から新入社員までが全て若者であるような会社は目にしたことがない。

もちろん、このようなＩＴ企業だから若い人間が集まるのだと言う人もいるだろう。だが日本にもＩＴ企業は存在する。ソニーやパナソニックなどはかなり歴史ある企業であるが、社員の新陳代謝は非常に遅く、四十〜五十代もしくはそれ以上の社員も珍しくはないし、若手社員は相対的には少数派だ。インターネット関連の企業であれば

「和之夢」のスタッフたち。2020年9月。

少しは世代が若くなるかもしれないが、それでも小米ほどではないだろう。いずれにしろ、中国にある小米のような若い大企業は決して一社や二社程度ではないのだ。

若い人間が多い企業は、その雰囲気も全く違う。小米ではスケートボードに乗って出勤してくる社員を見かけたりした。このような「遊び」感覚は日本の企業では信じがたいことだろう。私も自社のスタッフに、もし日本だったら出勤二日目で全員即解雇されているだろうと冗談交じりで言うこともあるぐらいだ。

日本の若者にも、その上の世代と同じように必死に努力をして東京大学のような名門校に入学し、卒業後は名だたる企業に勤めることになった人もいる。でも上の世代と違う点は、その輝かしい履歴が職歴のスタート地点ではあまり役に立たず、やはり基本的な仕事からコツコツ始めるしかない。自分の考えを実現するチャンスも発展させる余裕もないし、収入も中小企業に勤める場合と比べても、それほど大きな違いは見られない。そんな環境で、日本の若者が努力をしたいと思うだろうか。

日本と比べ、中国の若者が才能を発揮するチャンスは大きい。今後もより多くの若者がベンチャー企業に勤め、もしくは自分で起業をしていくことだろう。今の中国のような考えと文化は、若者の個性をより伸ばし、クリエイティブな能力と個性を求める企業はそのような若者をより重用していくことだろう。歴史ある企業もその傾向は無視できず、若者に対してよりフレンドリーになっていくはずだ。なぜなら、今の「若い」中国では、どんな人であれ「後ろの波」の助けなしにはいられないのだから。

ただ、社会全体が中国の「後ろの波」たちのご機嫌取りをするような時代においても、若者たちは不満を抱え、焦りさえ感じている。私から見ると、それは彼らがあまりにも「成功」を望みすぎているからだ。そして、中国の社会においてその「成功」の意味は比較的狭い範囲に限定されている。

中国の多くの若者にとって、「成功」の定義とは経済的な豊かさにあるようだ。富裕層の生活を味わうために、事業を成功させなければならず、高い収入が見込まれる大企業に勤めなければならず、大きな会社に入るためには名門校に合格しなければならない。このようにして、数え切れない人々が「成功」に向かう一本の道に滑り込むべく押し合いをし、誰もがそこからはじき出されることを恐れている。

この種の焦りがもたらす影響は大きい。我慢強さに欠ける若者が多いことは、自社のスタッフを見ていても分かる。彼らは同じことを繰り返すような基本的な仕事をやりたがらない。そしてより高い給料、もしくは役職に簡単に心を惹かれてしまい、あっという間に転職してしまうのだ。彼らの焦りも分からないではない。男性はまだ若いうちに持ち家を手に入れないと、結婚することができない。それにしても、彼らは他人との「比較」をしすぎるように思う。日本人も比較はするが、中国の若者ほどではないと感じている。

最近、「三十五歳の危機」がよく話題になる。三十五歳を過ぎた時点で成功を手に入れていなければ、すなわち失敗と見なされると言うことらしい。これは私には理解しにくく、受け入れるのが難しい見方だ。自分を例にとっても「花が咲いた」のは四十二歳になってからである。人はそれぞれ異なるバックグランドを持ち、能力や出会うチャンスもまちまちだ。人によっては五十歳や六十歳になってから花開く場合もあるだろう。だが中国の若者はそれは遅きに失すると受け取るようだ。

「幸福」に関する定義についても同様のことが言える。何をもって幸せな人生とするのか、これは中国の一部の若者にとっては事業で早い成功をおさめ、経済的な自由を獲得することだ。日本でも一九八〇年代のバブル経済の時期には同じような傾向が見られた。あの時代の日本人は、誰もが金儲けに夢中になっていた。だが、現在の日本の若者の価値観はより多様化している。もちろん物質的な豊かさを求める人もいるが、多くの若者にとって名門校や「いい」仕事、事業の成功などは、人生の唯一の選択肢ではないのだ。

面白いことに中国のより若い世代、例えば「00後（二〇〇〇年代生まれ）」、さらには「10後（二〇一〇年代生まれ）」の若者には、「90後」とはまた違った傾向が見られるようだ。国・地域の別に限らず、これは発展の過程でよく見られることと言えるだろう。

教育は「細部」に宿る

「10後」に話が及んだついでに、私自身の二人の子供についても触れておきたい。長男は二〇〇八年、長女は二〇一四年にそれぞれ生まれており、まさに中国の「00後」と「10後」に当たる。この世代の子供たちは広い部屋に住み、衣食住において何不足ない生活を送ることに慣れている。おもちゃが壊れても平気、新しいものを買ってもらえばいいのだから。このような育ち方をした子供は、成長しても上の世代が感じていたような焦燥感はたぶんそれほど強く持たないのではないかと思う。大きくなる過程ですでに様々なことを見聞きしていることもあり、良くも悪くも世間なんてそんなものだろうと冷めている、今の日本の若者のような「佛系」になるのではないだろうか。

ただ、この世代の子供たちの親はやはり焦っている。中国スタイルの教育のためだ。私と同じように中国で暮らす日本人と話していると、子供がいる場合はほぼ全員が、中国式の詰め込み教育が子供の大きな負担になっていると感じている。

子供をより良い学校に入れようとする今の中国の教育スタイルは、過去の日本にも見られた現象である。一九八〇年代から一九九〇年代の初頭にかけては、このような詰め込み式教育への反省も見られた。そこで行われたのが「ゆとり教育」と呼ばれる改革だ。だが続く数年の間に行われたゆとり教育は少し行き過ぎのきらいがあり、日本の学生の国際的な競争力が低下するなどの影響が出たために見直しが行われている。いずれにしろ、今の中国の教育スタイルは日本と比べ非常に厳しく、子供たちの心理的負担も少なくないと思われる。

もちろん、今の中国ですぐに教育制度の改革、特に中国の全国統一大学入試「高考」の改革を行うのには無理がある。人口が多く教育資源が相対的に不足していること

竹内亮と二人の子供たち。

の国では、試験によって才能のある人を引き上げる方法はある意味正しいと言える。それに農村地域においては、多くの子供たちにとって自分の運命を変えるための方法が勉強なのだ。そして「高考」は彼らが都会育ちの子供たちと肩を並べて競争に参加できる、比較的公平な手段である。

一方で、二人の子供の父親としての立場からすると、やはり自分の子供が大きなストレスを抱える事態は避けたい。子供たちには自分の好きなことをしてほしいと思うし、そこに親としての過剰な期待はかけるつもりもない。絶対にいい大学に入ってほしいとか、大企業に就職してほしいとは思わない。ただ楽しく暮らしていって欲しい。だが中国人の妻はそうは思わないらしい。今の中国の環境で生きていく限り、子供にもある程度の頑張りは必要で仕方のないことだと考えている。

もしかしたら私の影響を受けてしまったのかもしれないが、息子は勉強が大嫌いである。クラスでビリの成績

大凉山で出会った少年と畑の中の小道を歩く竹内亮。**2020**年**7**月。

をもらってくることはよくある話で、先生も諦めて匙を投げているらしい。だが息子自身は全く気にする様子もない。もしこれが中国人の親ならかなり慌てるところだろうが、私も実は息子のことを心配してはいない。息子の学校の成績が悪いのなら他のことを試せばいいと思う。もしかしたら教科書に書かれていることを勉強することが苦手なだけかもしれないのだから、他のことを試してみればいいだろう。娘に関しては、おそらく母親の影響だろう、とてもいい子で学校での成績もまずまずといったところである。

成績の如何に関わらず、子供には楽しく生きていってほしいと思う。中国の子供たちも、私が今回大涼山で出会ったあの子供たちのように、目をキラキラさせて生きてほしい。そしてその目の輝きが永遠に失われることのないように願わずにはいられない。

第七章

誤解を避けるための対話

　ドキュメンタリー監督として、またメディア業界に身を置く者の一人として日中両国の間で働いた経験からすると、誤解や考えの読み違えはいまだに存在する。これには日本のメディアの中国に関する偏った報道に負うところが大きいように思う。このため日本の人々の現在の中国社会に対する認識に偏見が生まれ、日中関係の発展と積極的な交流を大きく阻んでしまっている。新型コロナウイルス感染症の拡大が一定の収束をみせてからは、中国の大企業からこれまでより頻繁に連絡をいただくようになった。経済関連のドキュメンタリー作品を撮っていた人間としてかなり刺激を受けているのは確かだが、これまでにないある種の試練も感じている。

ファーウェイの理念との争い

華為技術株式会社（以下ファーウェイ）という会社がある。ドキュメンタリー作品『ファーウェイ100面相』を撮る以前は、同社に対する私の認識は「スマホのメーカーで、通信や5Gも手がける会社」というレベルに留まっていた。海外の一連の報道の影響から、同社はバックに中国政府が控えている会社なのだという見方も持っていた。

ファーウェイの本部にある、同社の株主情報が記載されている資料室などに立ち入った際、私の頭にはまだこれらの認識や見方がこびりついていた。だがそんな先入観とは裏腹に、同社は所有権に関する基本情報などを含めた資料を全て私に見せてくれた。今回の撮影に対する、彼らなりの誠実さが示されていると思う。資料には従業

真正控制华为的人是谁？
华为 faces of HUAWEI 100张面孔

ファーウェイの資料室に入る、『ファーウェイ100面相』より。

員一二万人の持ち株についての情報、一人当たりの持ち株数とその価格がきちんと記載されていた。つまり同社は完全に従業員が所有する会社であり、「政府がバックに」とは程遠い状態なのだ。

だがそんな私たちのドキュメンタリー作品を見ても、ファーウェイが見せたものの全てを鵜呑みにするわけにはいかないと思う人もいるだろう。実は私も百パーセント信じているという訳ではない。だがこれだけは信じられるという一点がある。それは、同社に疑いの目を向ける日本を含む海外メディアのうち、私たちのように実際にファーウェイで調査を行い、真相に迫ろうとしたメディアは一社として存在しないということだ。ファーウェイは上場こそしてはいないが、彼らが私たちに示したように、財務関連を含め様々な情報公開を海外メディアに対しても行う準備ができている。だが、それを調べようとしないのはメディア側なのだ。今回の調査をしても、私のファーウェイに対する疑いが全て解けたわけでは決してない。だが少なくとも調査を実行したことにより、証拠もなくいたず

郭平・輪番董事長への取材、『ファーウェイ100面相』より。

ファーウェイのエンジニアとの対話、『ファーウェイ100面相』より。

らに同社に対する疑惑をあげつらうメディアの行いを批判する確固とした立場を私は得たのである。

ファーウェイでの取材がより深部に迫れば迫るほど、同社への海外メディアによる見方だけでなく、一般の中国人が同社に抱く印象も決して正確ではないことが分かってきた。同社の社員数は上層部から末端まで約二〇万、そのうち四割が研究開発に従事する。多くの社員が自社株を保持しているため、ある意味とても「民主」的な会社だと言えるだろう。

五年に一度開かれる大会では、組織の

トップと会社全体の今後の方向が決定される。非上場企業であるため、短期的な業績の良し悪しに左右されることなく意思決定ができる。このことはファーウェイが研究開発を主体にした路線を力強く歩み続けることができたことと無関係ではない。そしてこのことこそが、一般の中国人や外国人がいまだに思い至ることがない点なのだ。

中国に長く住んでいる外国人である私から見ても、ファーウェイは他の中国企業とはかなり異なる。中国の多くの企業は、民営か国営かに限らず、リーダーの鶴の一声に従う姿勢が多分に見られる。無理もない話だ。一つの組織を管理するには誰かの「独断専行」で物事を進めなければならない局面も多い。私の会社は社員数が三〇数名の極小企業ではあるが、それでも一人一人の社員の考えは異なる。もしそれらの意見全てを尊重していたら会社は正常に機能しなくなる。大企業であればあるほどその傾向は強いだろう。社員が自分たちで会社の未来を決めるというファーウェイの「民主」は、ある意味では大企業らしくないやり方なのだ。

ファーウェイのドキュメンタリー動画を公開して以降、日本の視聴者の反応は以下のようなものであった。中国と何らかの関わりがあったり、もしくは中国に好感を抱く日本の友人は皆、この作品を気に入ってくれたようだ。「とても興味深い」「すごい」などのコメントも多かった。この作品を見て、一九八〇年代の日本企業を思い起こした人もいるようだ。松下電器産業株式会社（現在・パナソニック株式会社）、ソニー株式会社などが米国でボイコットに遭った歴史は、現在のファーウェイの境遇に通じるものがあるというのだ。

一方で、中国に対して偏見を持ち続ける日本人もいる。そのような人々はこのドキュメンタリー動画の内容を信じることはなく、私たちがカメラで捉えた映像は外部向けの表面的なものに過ぎないと考えてしまう。それでも私たちにできるのは、ファーウェイで実際に目にしたものをそのまま視聴者に伝えることだけだ。私たちが出会ったどの社員も普通の人間であり、何か特別なバックグラウンドがあるようには見えなかった。私や皆さん、そして身近にいる一般市民と同じだ。ファーウェイの二〇万の社員もきっとそうなのだと私は考えている。

We will install a base station,
even if just one or two households need it.
"只为一两户人家也会装基站"
华为 faces of HUAWEI
100张面孔
チベット高原にある**5G**基地局、『ファーウェイ**100**面相』より。

このドキュメンタリー作品の撮影を進める中で、興味深い出来事があった。全体を通じて順調に進んだ撮影ではあるが、その途中で私たちのチームとファーウェイ側との間で意見の相違が見られ、お互い一歩も譲らないという状況に陥ったのだ。

その原因については、多くの人にとっては取るに足らないことだと思う。青海省でファーウェイが進める5G基地の建設の様子を撮影していた時のこと、道端に佇む僧侶を見かけて私が話しかけたのだ。「5Gについて何かご存知ですか」と尋ねると相手は知らないと答えたため、スマートフォンなどの通信速度を大幅に上げることができるのが5Gなのだと私が説明した。すると僧侶は自分は映画も娯楽番組も視聴しないので5Gは必要ない、さらには「5Gにするのは無意味だ」と答えたのだ。面白いやり取りだと思ったので編集の過程でも残すことにしたのだが、ファーウェイ側からはこの部分をカットできないかとの申し入れがあった。そのため、ちょっとした言い争いのような形になったのだ。

ファーウェイ側の言い分も分からぬでもない。5Gをより早く普及させるべく、中国や世界の各地域、チベット高原のような厳しい条件の地方にまで出向いて通信基地を建設している。私たちが撮影した場所は海抜四八〇〇メートル、このような場所で働くファーウェイ社員の苦労は想像に難くない。そんな中で放たれたこの僧侶の言葉は、多かれ少なかれ自分たちが懸命に進めている仕事を否定されたような気持ちにさ

この**5G**基地局を撮影中に高山病になった竹内亮、『ファーウェイ**100**面相』より。

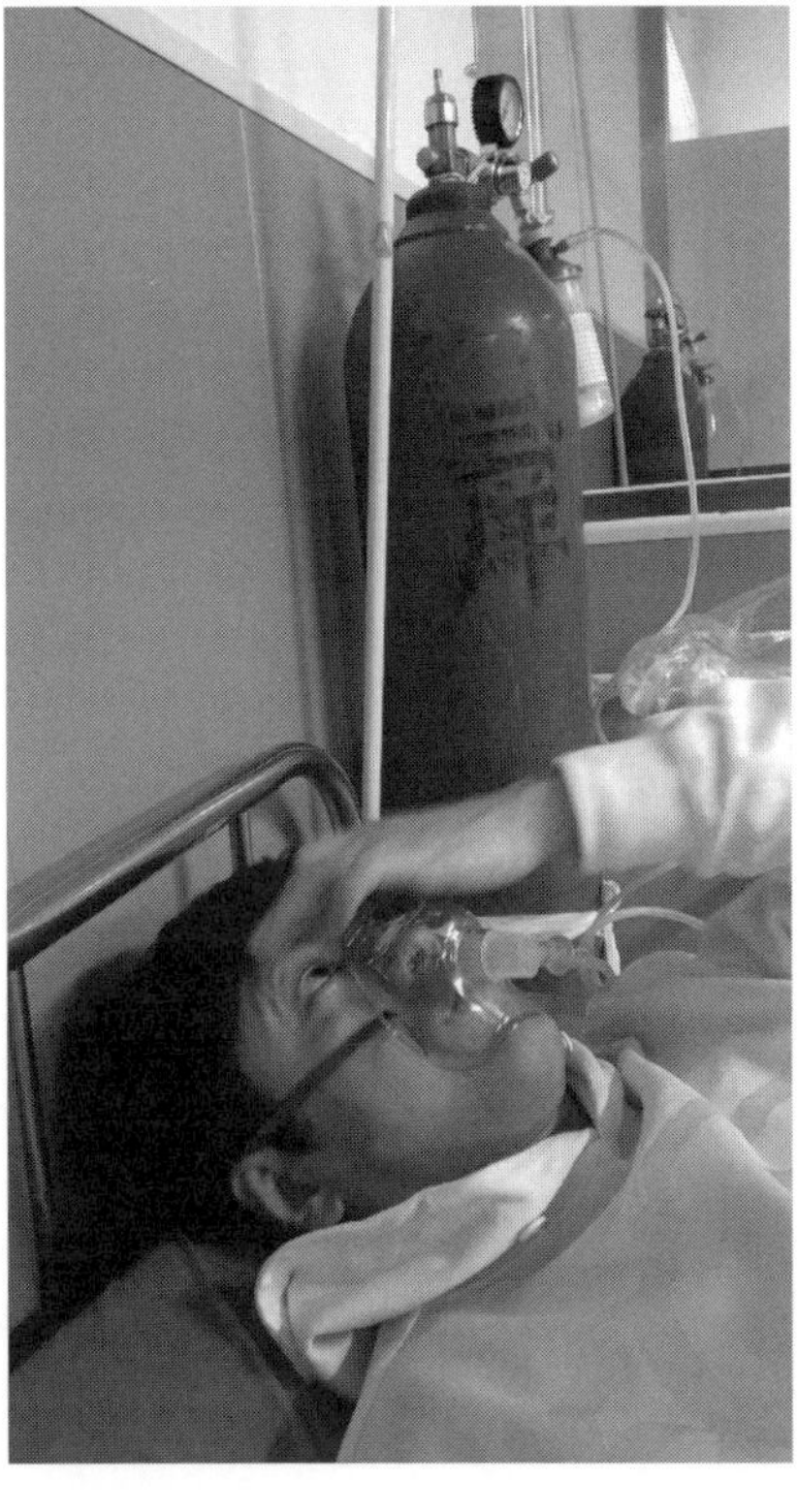

せるものだろう。

だが私は断固として削除に反対した。ドキュメンタリー監督としての立場から見ても、この僧侶との会話にはリアリティがあり、中国の一般市民が5Gに代表される新しい技術に対して持っている認識や見方などが反映されている。この僧侶や一般の人々だけでなく、高学歴を持つ人であっても5Gが一体何を指すのか、それが自分たちの生活に何をもたらすのかをきちんと理解しているとは限らない。その実態を反映することこそがドキュメンタリー作品に求められるものなのだ。

私が考えを変えなかったため、結局ファーウェイはこの部分を残すことに同意してくれた。その代わり、5Gが今後の生活、とりわけこのような高所や山奥に住む人々にもたらす遠隔医療などのメリットを紹介するセリフをこの映像の後に入れることになった。

中国で「自由を獲得する」日本の主婦

ファーウェイのような大企業のほかに、近年は例えば中国の地方政府機関から仕事を依頼されることも増えてきた。これは少々意外に思えた。なぜなら地方政府が私のような外国人のドキュメンタリー監督に何かを頼む必要は全くないからである。だがこのような機関が私たちとの仕事を通じて新しいことにチャレンジしようとしていること、その数がますます増えていることは事実である。

二〇二一年二月、私は蘇州市相城区で撮影を進めていた。ゲスト七名が対談する形式で、そのうち五名がビジネスマンだった。蘇州の美しい景色を背景に、中国での仕事や生活を振り返る内容だ。同区は近年、日系企業の誘致に力を入れており、私が撮っているドキュメンタリーの視聴者は主に日本人を想定している。中国で生活する日本人同士のおしゃべりを通じ、日本の人々が中国の社会に持つ古い認識や偏見を緩和しつつ、また蘇州の魅力ある文化も知ってもらおうというわけだ。確かに、このエリアへの投資を考える日系企業にとっては必要な情報でもある。

中国に住む日本人の友人たちと普段から話している中で、彼らが中国での生活で感じていること、その共通点も私にはおよそ想像はつく。実際に撮影してみると、ゲストたちが語ってくれた内容もほぼ想定内のものではあった。中国の視聴者にとっては多少目新しく感じられるかもしれない。だが今回の対談では、日本で暮らす日本の一般人にとっても非常に興味深いであろう点も話し合われたので紹介してみたい。

投資誘致を目的としたドキュメンタリーなので、日中両国における起業関連の状況について話すこともあった。一部のビジネスマンにとっては参考になる情報となるだろう。だがこの作品が公開されてみると、視聴者から一層大きな反響があったのは「女性」と「自由」に関する点についてだったのだ。

例えば、ゲストの一人である相馬華織さん。夫に付いて中国にやってきた主婦である。会社が車や通訳の手配をしてくれる夫と違い、彼女は中国に来たその日から苦労を重ねることになる。初めて手にする現地の貨幣、買い物をする手順の違いなど、家庭内の諸々を担う主婦としてこれらは決して避けては通れない。だが彼女は対談の中で「この段階を抜けるととても自由な気分になることができた。他の人の目を気にする必要もない」と語ったのである。「中国での生活の中で、逆にとても面倒だったのは現地に住む日本人との付き合いだ」という彼女の言葉は、現地の「駐在妻」の間では大きな共感を呼び起こした。駐在妻とは、パートナーの海外赴任に帯同する女性たちのことだ。

日本では主婦の人間関係は比較的シンプルだ。家庭の外では、同じ地域の主婦仲間か夫が同じ企業に勤める主婦仲間などでそれぞれの小さなグループが形成され、この小グループが一人の主婦の交流の場となっている。だが別の角度から見ると、このグループ内には多くの決まりがあり、それにそぐわない場合は見下されたりするなどス

起業家・星本祐佳。

トレスの元にもなることも多い。中国でも人気を博したテレビドラマ『半沢直樹』では、第1部でバンカーたちの「奥様会」の様子が生き生きと描かれている。ここ数年で日本の社会も変化し、このような集まりは以前より少なくなったとは思うが、それでも普遍的に存在することには変わりない。

それが中国に来てみると、自分たちが住む家をきちんとしておけば、あとはやりたいことをやっていられるし、それを誰に責められることもない。一部の駐在妻たちは中国で新しい趣味を見つけて研鑽を重ねている。最初は夫に付いて中国で暮らすことに抵抗があったが、慣れてくると中国での生活が大好きになったと言う人も少なくない。

主婦だけではない。中国で働く日本のキャリアウーマンたちも同様の開放感を味わっている。中国で起業した星本祐佳さんは、私との対談の中で日系企業の管理層に女性は一人もいないこと、もし上層部のミーティングに女性が参加すれば、その場の男性社員には手伝い要員のスタッフとして扱われてしまいがちだという経験を話してくれた。

中国で生活する女性たちを招いたトーク番組の撮影風景。

これが中国になると全く話が違ってくる。特にベンチャー企業の場合は女性の起業家がいくらでもいるし、管理層の男女比は女性の方が多いこともごく普通だ。また、日本では仕事中であれ社員同士の宴会の場であれ、テーブルの上にある料理や男性社員の飲み物のグラスに気を配ることは女性スタッフの役目だ。「日本で会社員をしていた頃、会社のみんなで食事する時にはお腹いっぱい食べることなどできませんでした」と星本さんは笑いながら語る。中国に来てみると、そんな決まりや習慣は全くみられないことの気づいたという。

このドキュメンタリー作品の公開後、中国のネット上では作品中で触れられた自由、特に女性の自由と権利について多くのコメントが寄せられた。中国の視聴者にとって、日本人ゲストのどんな話や見方がより話題になるのかについては私もおおよそ把握しているつもりではあったが、今回の反応は思いもよらないことだった。この作品はウェイボー上でも発表してみたが、中でも注目度が高かったコメントは以下のようなものである。「中国の女性の地位が高いのではなく、日本や韓国の女性の地位が低すぎるのだ」。当時の中国のネット上で、女性に関する話題への注目度がいかに高かったかがうかがえる現象だと思う。

女性の地位について、もう一つ触れておきたい。日中両国で高い知名度がある卓球選手・福原愛さんについてである。彼女と台湾出身の男性との結婚が破綻した際、両国のネット上でかなり話題になったが、福原さんへの態度は二国間で真っ二つに割れていた。日本のネット民は概して福原さんに批判的だった。子供を台湾に残して一人で日本に帰国して正月を過ごした彼女に対して、母親としての責任を果たしていないという見方が強い。私はこの見方に決して賛同するわけではないが、日本のネット上でこのような意見が出たことに大して驚きはしなかった。むしろ、想定内と言ってよい。

一方、この一連の出来事に対して中国のネット上では福原さんに批判的な声はごく少数だった。それどころか、より多くのネットユーザーたちは彼女に同情的な態度を見せた。これは私にとって意外であった。何れにしても、この違いから見ても分かるように、日中間では同じ問題に対しても見方の違いや温度差があり、それはある一つの具体的なトピックを通じて初めて明らかになるのである。これは私たちのチームでも同じことだ。日中間の文化交流に携わる方への一つの提言としておきたい。

本音を聞きたければ、先に「悪口」を聞いてみよう

蘇州市相城区での撮影においても、順風満帆というわけには行かなかった。ファーウェイの時と同じようなトラブルを体験した。例えば始まりの部分で私はゲストに中国に来る前に抱いていた印象について語ってもらった。「お腹を出して街を歩く人がいる」「空気が汚い」など、中国側の視聴者が気を悪くするような言葉も並んだ。だが客観的に見れば、これは中国に来たことがない日本人が日本のメディアの報道を通じて得たイメージそのままなのである。そしてこれらは、現在に至っても多くの日本人が抱いている印象なのだ。

蘇州市相城区もこのような言葉が適当でないと考えたのだろう、「削除できないか」

と持ちかけてきた。だが私はやはり、自分の考えを貫くことにした。日本の視聴者向けの作品において、中国を持ち上げてばかりで「悪口」が全く含まれない内容にしてしまったら、一体誰が見たいと思うだろうか。ゲストが日本のメディアから得た部分的な印象を持って中国に赴き、そこで徐々にこの国に対してより客観的な見方ができるようになり、全体像を掴むことができるようになる。この過程と変化こそに価値があり、それがあってやっと日本の視聴者に対して訴えかける内容になるのだ。だから「悪口」を削除することは断固としてできない。

多くのやりとりを経て、最後には先方の理解を取り付けることができた。かなり疲れを感じる過程ではあったが、こちらの意見と理念を尊重してくれたことには心から感謝している。地方政府としては難しい判断であったと思うし、昔であればこのような意見の相違が見られた場合には制作自体が中止となるような事態になっていたかもしれない。地方政府側も少しずつ変化していることが感じられる出来事であった。

このように、私が対外宣伝に携わる政府側の人間に接触する機会は少なくない。外

相遇
是一种奇妙的缘分
邂逅相城
MEET YOU IN XIANGCHENG

『相城との出会い』より。

国人であり、しかもメディア関係者であるという二つの立場を持つ人間として、中国の文化をどのように海外に伝えるべきなのか、彼らから相談を受けることも多々ある。このような時に私が繰り返し伝える点がある。それは、自分をよく見せるだけではダメだということだ。この言葉に賛同してくれる官僚は増えていると思う。特に若い世代は、自分の考えを改めることに積極的だ。

政府側だけではない。一般の中国の若者にも同様の変化が見られるようになった。私の作品が公開されるたびに、自分たちの信念を曲げずにいてほしい、客観的に中国の社会情勢を伝えてほしいというコメントが付けられるのだ。中国に対して偏った見方をする一部の海外勢については、中国の若いネット民も過去の事例から来るものであり、時間をかけて改善していくべきだとの理解を示している。中国の若者がこのような考え方をするようになって本当によかったと思うし、このことが私にとって中国の未来がよりよいものになるであろうと信じる糧ともなっている。

第八章

〝おにぎり〟から〝華飯〟へ

我々の企業名は和之夢（ワノユメ）、制作している動画シリーズには『和飯団（飯団はおにぎりの意）』と名付けられたものもある。中国の視聴者に日本の文化を紹介することは、会社の設立以来ずっと変わらない願いであるし、これからも続けていくつもりだ。ここ数年はまた、番組の制作を通じて中国社会とその文化のたゆまぬ発展を目にする機会が多かった。より多くの中国企業、特にカルチャー関連の企業が日本を含む海外市場を目指すようになり、それと同時に日本の企業や一般人も中国の文化に根ざす文化の魅力に気づき、より興味を持つようになった。

日本から中国、そこから再び日本へ

日本の文化を中国人に紹介するという考えは、十数年前から考えていたことだ。ドキュメンタリー作品『長江 天と地の大紀行』の制作を進めていた二〇一一年、現地の中国人が日本について知っていることと言えば山口百恵か高倉健、それはまるで一九八〇年代から時が止まったかのような錯覚を私に覚えさせた。彼らにとって日本語と言えば「花姑娘」、「ミシミシ」など、抗日ドラマを見て覚えたものばかり。そんな状態に少し違和感も覚えた。

日本に帰って、この気持ちを冬冬（阿部力）に伝えてみた。彼は中国の東北地方出身の日中ハーフだ。私と同じような感情を抱えていた彼と私とで、何かやってみようということになった。日本を離れて中国に向かい、そこで日本の文化を紹介する番組を中国の一般の人々に向けて作りたいという考えは、この頃に芽生えたものだ。

だがこの考えは妻の趙萍からは反対された。私の仕事は安定していたし、日本のテレビ局向けにかなり大掛かりな番組を提供することも多かったので、収入も悪くはなかった。趙萍も安定した職を得ていたし、何より最初の子どもがまだ幼稚園に通っており、家まで買っていたのだ。こんな状態で日本を離れるのは、そこで築いたものすべてを捨てることを意味していた。人脈も全くない中国でゼロから再スタートするのは、リスクの高い賭けでしかない。

それでも私は諦めなかった。日中関係が悪化した二〇一二年を挟みながら、二年をかけて妻を説得し続けた。不安を示したのは妻だけではない。周囲の友人たちも、身の安全さえ保障できない中国で中国人向けに日本文化を紹介するなどできるわけがないと言い、しきりに私を止めようとする。だが、それでも私は諦めなかった。二〇一三年になり、とうとう私は妻と息子を連れて日本を離れ、中国に赴き、義両親が住む南京にやってきて今もそこに住んでいる。

実を言うと、中国で事業を立ち上げるにあたり、中国人向けに日本文化を紹介したい考えとは別に、自らの限界に挑戦したい思いもあった。長江のドキュメンタリー制作に携わった時、私は三十二、三歳だったと思う。日本のテレビ局としてはかなり大掛かりな作品であったが、それだからこそ自分自身を努力して変えていかなければ、十年、二十年経っても今と同じことをし続けるのではないかと考えるきっかけにもなった。そんなつまらない生き方はしたくない。それに、この作品の制作に携わったことで、周囲からは中国通だと思われるようになってしまったのだが、実際の私は中国語も十分に話すことができず、中国に対する理解もおぼつかない人間でしかない。これが、もっと中国を理解したいと考えるようになる原動力となった。結局私は中国で暮らすようになるわけだが、ここに至るまでにはこのように多くの要素と出来事があった。

時は過ぎ、中国に来てからももう八年近くになる。相変わらず義両親と同居してい

寧波での撮影風景。中国で俳優として活動している美濃輪泰史さん。

るし、来たばかりの時と比べてみても自分自身の生活面に大きな変化はない。いや、変化と言えば、娘が生まれた。事業にも大きな変化があり、ここ数年で我々が制作した作品の知名度がぐんと上がった。特にコロナ後はより多くの人々の注目を集めるようになり、スタッフの規模も拡大、私も以前より忙しくなり、道を歩いていても知らない人から声をかけていただく機会が増えた。

私自身と企業としての変化はさておき、この八年間の中国における社会変化は天地がひっくり返るレベルのものと言ってよいと思う。特に、世代を超えた中国人全体の日本文化に対する認知度の高まりが著しいと感じている。私が初めて中国に来てドキュメンタリーの撮影に携わったのは二〇一〇年、その頃に出会った中国の一般人は一九六〇年代から一九七〇年代生まれの人が多かったように思うが、彼らの日本に対する理解はまさに二〇世紀から変わっていなかった。その後私は中国で起業することになるわけだが、それはちょうど中国の起業ブームの時期にあたる。一九八〇年代から一九九〇年代生まれの若者が、インターネットを操り、ありとあらゆる情報を呑み

2020年**10**月、南京で新しい事務所に引っ越す。「和之夢」スタッフと。

込んでいた。特に日本の映画、テレビドラマやアニメ、音楽の文化資源を通じて、彼らは日本の社会とその文化を深く理解していった。

それから十年近くを経て、今また私は別の驚くべき現象を目にしている。二〇〇〇〜二〇一〇年生まれの若者たちは日本文化にそれほど知識を持っていないようなのだ。私の子どもたちを例にすると、信じてもらえないかもしれないが、二〇一四年生まれの娘は父親が日本人であるにもかかわらず、生まれてから今までほとんど日本の文化に触れていない。よく目にするアニメは中国のもので、スマホで一番よく使うアプリは「抖音（ドウイン＝TikTok）」、一番好きなスターは誰かと尋ねれば、娘はきっと李現（リー・シエン、一九九一年生まれ）、王一博（ワン・イーボー、一九九七年生まれ）などを挙げるだろう。二〇〇八年生まれの息子は私が一生懸命に勧めてやっと『火影忍者（NARUTO－ナルト－）』を見るようになったが、それきりだ。

私の子どもたちと同年代のお子さんを持つ親は、きっと私と同じ感覚だと思う。この世代の子どもたちの成長は、中国でちょうど文化コンテンツが以前と比べ物になら

2020年**8**月上旬の「タオバオ造物節（タオバオ・メーカー・フェスティバル）」での竹内亮。

ないぐらい力を伸ばしてきた時期と重なる。数が増えただけでなく、クオリティも格段にアップグレードしている。このような環境で過ごしてきた中国の子どもたちは、その前の世代が中国の国産コンテンツに抱いていた印象とは真逆の、国産コンテンツに好意的もしくはそれを最高レベルのものであると考えている。彼らにとって、国産のコンテンツに囲まれているだけで十分なのだ。

一方で、日本の若者の中にもここ数年、中国の文化的コンテンツを受け入れる傾向が顕著になっている。抖音の海外バージョン「TikTok」が日本の女子高生の間で流行していることはその一例だ。社会現象とも言えるだろう。多くの日本の女子高生が「TikTok」をダウンロードし、生活の中で動画を見たり自分の動画をアップロードすることを最優先する。それが日常となっているのだ。

「TikTok」のほかに、「B站（ビ・ジャン）」や「bilibili（ビリビリ）」と呼ばれる動画共有サイト、電子商取引機能の付いたSNSアプリ「小紅書（RED）」など、中国製のサイトやアプリが日本の若者に与える影響は日増しに大きくなっている。このようなプ

上海でイベント活動を行う歌手・俳優の片寄涼太と、その撮影を行う竹内亮。

ラットフォームを通じ、より多くの中国文化のコンテンツが海外に広まっていく。日本の若い女性の間では、「チャイナ風」のメイクが流行しているとさえ聞く。動画サイトで中国のインフルエンサーが化粧方法を紹介していたのがきっかけだと言うが、それが今では中国から中国ブランドの化粧品を代行輸入するまでのブームになっている。

また、中国のゲーム会社が開発した商品、特にスマホ用のゲームは特に日本人男性の間で人気が高い。多くの中国人には想像もつかないことかもしれないが、日本では今、スマホゲームの人気ランキングのうち、上位一〇位の多くを占めるのが中国のゲーム会社が開発した商品なのだ。

ゲームに話が及んだからには「二次元コンテンツ」に触れないわけにはいかない。日本のアニメとゲーム文化において、中国の若者たちに長い間支持されてきた声優や歌手は、何度も中国を訪れてライブ活動やイベント参加を行っている。我々自身もこれらの芸能人を取材するプロジェクトをいくつもこなしてきた。中国のゲーム会社や

丁真と記念写真を撮る竹内亮。**2021**年**2**月**28**日「**2020**年ウェイボー・ナイト」にて。

アニメ制作会社からの招待を受けて中国にやってくる日本の芸能人は近年より多くなってきており、レコーディングなどにも積極的に参加するようになっている。これらの芸能人にとって、中国は非常に魅力的なマーケットになっていると思う。

ただ、先に述べたように、中国のより若い世代では国産コンテンツへの認知度の方が高いため、日本人が中国マーケットで金稼ぎをできる時間はそれほど長くないのかもしれない。ひと昔前のように、寝ていても金が入ってくるような時代はもう戻ってこない可能性もある。とすれば、中国で何かしらの利益を得ようと目論むのであれば、中国の若い世代への理解を深め、彼らに向けた商品やコンテンツを持ってくる努力が必要だ。

このような大きな変化の中で、私や会社のスタッフたちも今までの『和飯団』のような日本関連のエンタメ番組以外に、日本の視聴者に向けた『華飯（中国のごはん）』のような番組を作る必要があると考えるようになった。もしかしたら、『華飯』の方が将来的には重要性が増すかもしれないとも考えている。

若者こそが希望

二〇二一年三月の半ば、『私がここに住む理由』の制作のため、私は海南島に赴いて少し変わった日本の若者に取材を行なっていた。

この若者が中国に来た理由は『創造営2021』と呼ばれる番組に出演するためだ。テンセント提供によるアイドルオーディション番組で、二〇二一年の選抜は男性アイドルグループ向けだ。国際色豊かな男性アイドル候補が集まったことから、「国際男団」とも呼ばれる。練習生として日本やタイ、ロシアやウクライナからの九〇名が参加、そのうち日本人が最も多く十数人となった。これほど多くの日本人男性が中国に来てオーディション番組に参加することは、昔の日本では考えられなかったことだ。

これはぜひ行って確かめなければならない。

個人的には、男性アイドルグループへの興味はそれほどない。私が心を惹かれたのは、日本の若者が言葉も通じない異国で努力する決心をしたのはなぜなのか、という点だ。しかも彼らは深圳に乗り込んで働く日本の若者とも違い、製造業などで使える技能などを持っているわけではない。その代わり、精神的な文化交流とも言えるアートの域で自分の力を試そうとしている。一体彼らはどのようにして力試しに挑んでいくのだろう。

このオーディション番組は、練習生全体での特訓、および公演への参加を組み合わせた形で進む。最後に観客が投票によってグループメンバーを選出する。コロナ感染対策のため、日本から来た若者たちも含めた練習生たちは海南島で半年近くの特訓を受け、番組撮影の三ヵ月間はスマホさえ使うことを許されず、外界とは完全に隔離された状況にあった。しかも身近に接するメンバーのほとんど、そして番組制作スタッフは中国人なので言葉も通じない。日本人参加者のストレスの大きさは推して測るべきだ。

だが意外だったのは、これらの参加者は番組撮影の過程での苦労は認めながら、自分がこのような番組に参加したこと自体については全く後悔などはしておらず、かえって考え方が広がり新しい友人もできた上に、自分の目で中国を見ることができたなどの収穫に満足しているようだった。

この番組制作の規模自体がまず、彼らにとって予想を超えるものだったようだ。今の中国で、主要動画サイトで公開されるアイドルオーディション番組は、どれも制作費は一億元以上、数億元にのぼるものもある。日本の同じような番組にかけられる予算から見るとかなり高い水準だ。収録の現場には毎回一〇〇台以上のカメラと数百名のスタッフが動き回る。日本では考えられない光景だ。こういった点だけでも日本の練習生はだいぶ驚かされるだろう。

中国の視聴者ファンたちの熱量と包容力にも驚かされる。日本からの練習生には、結果自体にはそれほど期待はしていない人が多かった。何しろ中国現地のエンタメ番

『創造営**2021**』の練習生、サンタと力丸と。**2021**年**3**月。

組だ。観客は全て中国人、彼らに日本からの練習生を気に入ってもらうことは難しいに決まっている。だから練習生も、彼らが所属する事務所も運試し程度の気持ちで参加していた。中国のアイドルグループの一員としてデビューするなど思ってもいなかったため、日本で借りている部屋の契約もそのままに中国でやってきたのだ。

だが蓋を開けてみれば、実力と愛されるキャラクターを持つ人物であれば、中国の観客たちは惜しみない拍手と声援を送るものであることがわかった。最終メンバーに勝ち残った一一人のうち五人が海外メンバーであり、そのうち日本からのメンバーは三人、いずれも上位二位から四位までの人気を得るという輝かしい成績を残した。

二位となったのはサンタ（賛多）だ。少し前に私の取材を受けてくれた時に彼が言った言葉を今でも覚えている。番組の撮影現場を出ると、毎日のように外でファンたちがカメラを構えて待ち構えている。だが自分たち日本人の練習生が出てくると、このファンたちはみんなカメラを持つ手を下げてしまうのだと。もし今、サンタがどこか公共の場に現れた時には、きっと数えきれないくらいのカメラが彼に向けられるに違いない。そして多くの中国人ファンたちが黄色い声をあげて彼を迎えてくれるだろう。

『創造営2021』で選ばれた国際色豊かなメンバーたちは、その後知名度をあげることに成功したと聞く。ある意味、日本国内における中国マーケットへの見方を変えたとも言えるだろう。『創造営2022』では女性アイドルを選抜することになっている。日本では多くの芸能事務所が女性の芸能人を送る準備に追われているのではないだろうか。

中国にやってくる日本の若者には共通点があるように思う。成功を目指して深圳で起業するにしろ、海南島で出演のチャンスを狙って練習に励むにしろ、彼らは中国に来て自分の人生を賭けて努力すること自体に何の疑いも持っていないという点だ。それはもちろん当たり前のことなのだが、日本の社会にとってはとても重要な変化なのだ。

日本の一般人が中国に対して抱く好き嫌いの感情について、私はいつもある数字を持ち出して説明することにしている。それは1：3：6というものだ。「1」は勉強や仕事、生活の領域で中国に関わりを持つことになった日本人だ。彼らは中国に対するほぼ全面的な理解があり、中国への感情もポジティブかつ客観的である。だがその比率は少なく、日本人全体のうち一割ほどに過ぎない。

「3」は中国に対してかなりネガティブで頑固な見方をする人々である。彼らには何を言っても無駄で、とにかく中国が気に入らない。このような人が日本人全体に占める割合は三割程度と私は見ている。この層の特徴として、平均年齢が非常に高いことも挙げられる。

最後の「6」は好きでも嫌いでもないという人々だ。だが日本のメディアの報道からの影響で、どちらかと言えばネガティブな印象を中国に抱きがちだ。だがこの人たちこそ、今後より積極的に「勝ち取って」行くべき層なのではないだろうか。そしてこの層には概して若い人が多い。

日本の若い人々は、まだそれほど日本のメディアからの「洗脳」を受けてはいないし、中国に対してのネガティブな印象も固定的ではない。これは私が実際に彼らと接触して得た体感だ。そして彼らは自分の夢と目標のために、中国に来て中国のごく普通の若者たちと同じように奮闘する覚悟だ。中国に暮らす一人の日本人として、私はそれをうれしく思う。なぜならそこに希望が見出せるからだ。中国で仕事を立ち上げた日本人の一人である私にとって、それは心をワクワクさせてくれることだ。なぜなら、若者にこそ希望があるからだ。

著者あとがき

このあとがきまでたどり着いた方には、このような中年の「網紅（ワンホン）」おじさんによる自慢話にお付き合いいただいたことに、まずお礼を申し上げたい。何しろ一冊まるごと、自分がいかにしてインターネット上の人気者になったかのうんちくを話しているだけなのだから。

「網紅」という呼び名を、私は甘んじて受け止めている。その人気が、おそらくそれほど長くは続かないであろうことも含めて。

人気が落ちていくであろうことを、私は恐れてはいない。なぜなら人気者になりた

『ファーウェイ100面相』より。

いと思って努力をしてきたわけではないからだ。これまでのことは偶然の重なりであり、気づいたら「網紅」になっていたというだけのことだ。

元の状態に戻るだけのことと考えれば、何も怖がることはない。私は人気度やクリック数に関わらず、ただ自分が撮りたいものを撮っているだけである。撮りたいものがある限り、私はこの仕事を続けるであろうし、撮りたいものがなくなれば、そこで「退職」ということになるだろう。

作品を撮ること、とりわけドキュメンタリー作品を撮ることが私は好きだ。本文ではずっと「網紅」として語ってきたからこそ、このあとがきでは自分の基本に戻り、日本から来たドキュメンタリー監督という立場から少し考えを述べてみたい。

学生時代の私は、とにかく勉強をしない人間だった。毎日のように学校の図書館にこもってビデオテープの映画をみていた。高校生時代だけで数百の作品を観たと思う。そんなことをしているうちに、映画監督になりたいと考えるようになった。

その夢を叶えるために、私は高校を卒業すると映画を学ぶ専門学校に入学した。それと同時に、自立を目指して新聞配達をして生活費を稼

『ファーウェイ100面相』より。

杭州でリトアニア出身の出演者・イヴさんと。2020年5月。

ぐことも始めた。

この新聞配達というのは、何ともつまらない仕事であった。ただ一つの楽しみと言えば、休憩時間に新聞を好きなだけ読めるということだ。そんな中で、社会関連のニュースに興味を持つようになり、将来の夢も映画監督から記者へと変わっていった。

でもよく考えてみると、ニュースを毎日追うという記者の仕事も、深みが足りないような気もする。一本の記事だけでどれだけの内容と、人の気持ちに根ざしたストーリーを語ることができるというのだろう。そんな思いを抱くうち、この二つの夢を合わせたドキュメンタリー監督という仕事があることにふと気づいた。現実社会に基づく内容だけでなく、ストーリー性があるものを撮ることもできる。そこで卒業後は、ドキュメンタリー作品を専門にする制作会社に就職した。師として仰いだのは、この業界でよく名が知れた人物であり、是枝裕和監督とも交流のある方である。ついでに付け加えておくと、日本におけるドキュメンタリー作品の世界はとても狭い。皆がほぼ知り合いのような関係にあり、現に是枝

浙江省で働く「ピンクおじさん」、外国語教師・竹内尉晴さんと。2020年8月。

監督のカメラマンと助手とは、私も以前一緒に仕事をさせていただいたことがあるくらいなのだ。

このようにして、私は「無学無能」の高校生からドキュメンタリー監督になった。もう十年になる。二〇〇七年ごろ、二十七歳の時には経済関連のドキュメンタリー作品で賞をいただいた。アジアの金融危機からの十年を振り返る内容だ。続く二〇〇八年には、今度は世界全体が金融危機に見舞われることになり、日本も大きな影響を受けた。多くの若者が仕事を失い、生活保護を受ける人も増えた。私はこれらの人々をもカメラに収めた。

金融危機に関するドキュメンタリー作品を撮ることで、私は大きな二つの方向性を得ることになった。まず私自身が金融業界に対してそれほど好感を抱かなくなったという点だ。金を動かして遊ぶような人たちは、たとえ損を出しても大したダメージは受けない。だが金融危機によって仕事を失うような人たちにとって、それは生死に関わる重大事項なのだ。

もう一つは私の物事を見る視点に関わる「平等」という点だ。一国の総統から社会の最底辺で暮らす路上生活者までを撮ってきた経験から、私はどんな人も同じだという考えを得るに至った。私は監督として対象を見る際、経済的に豊かであるかどうか、または権力を持つ人間であるかどうかは問題にしていない。貧しく、およそ権力から遠い位置にいるような人間がえらくないわけではないということも分かっている。これは撮れば撮るほど、確信に近いものに変わっている。

これまでの仕事を振り返ると、その区切りごとに面白いようにはっきりと内容が分かれている。前半の十年は日本でドキュメンタリー作品を撮り、その後の十年は中国で過ごしている。中国に来た理由については本文中で詳しく述べている通りだが、私に大きな影響を与えた書籍『深夜特急』についてはまだ語ってない。作者である沢木耕太郎氏は、四十年ほど前に路線バスを乗り継いでアジアを旅行した人物だ。幼い頃の私はこの本を夢中で読んだ記憶がある。特に何事もきっちりとルールが決まっている日本と比べ、ある種の「混乱」の中にある感じにとても惹かれた。

バラエティ番組《非正式会谈》収録に出演した竹内亮。**2021**年**3**～**4**月。

最初の海外経験は中国だった。『深夜特急』を読んだ頃の記憶が、心の中から呼び起こされる感覚だった。二、三十年前の中国は、今と比べると「混乱」の中にあったように思う。地方によっては公共トイレに扉がなかったり、道に痰を吐いたり列に割り込みをする人もまだたくさんいたのだ。でもそんな中国は、見方を変えれば無頓着で束縛がないということであり、私の性格に合うものがあった。いつもルール通りに行動することを求められ、人に迷惑をかけないことが重要視される日本は、突出した個性を生み出しにくい。でも中国は違った。

売店で働く人も、私が日本人だと知ると自分から積極的に話しかけてくる。なんて面白い国なんだろう。そんなわけで、とうとう中国に住み着くまでになった。これも自分の中のある部分が、より中国に合っていたからだと言えるだろう。

二〇二一年は、私が中国に来て八年目の年になる。そして私がドキュメンタリー監督になってから二〇年目の年でもある。以前、あるメディアの取材を受けた際、「和の夢」の今後の見通しについて話したことがある。その時私は「ドキュメンタリー界のジブリになりたい」と語った。ジブリとは皆さんもご存知のように、日本で一番有名なアニメーション制作会社スタジオジブリであり、その最も著名な人物が宮崎駿監督だ。

なぜこのような目標を口にしたかと言うと、ジブリはあくまで作品を主体とした制作会社であり、どの作品にも自身の理念が投影されている。そして、彼らの作品には「国境がない」。どんな国や地域の人でも、作品を見ればそれがジブリのものであると分かるし、見れば好きにならずにはいられない。私たちもそんな仕事ができるようになれればと願っている。

もちろん、ドキュメンタリー作品はアニメーションほど人気は高くない。特に若年層の間ではその傾向が強い。でも一方で、若者の中にもドキュメンタリー作品の制作に強い興味を示してくれる人がいることも私は知っている。そんな人に向けて私からのアドバイスは、既存の枠組みに囚われたものを撮る必要はないということだ。真面目すぎる必要はないし、格調高いものを必ずしも目指すこともしなくていいと思う。見たいと思ってくれる人がいれば、どんなスタイルのドキュメンタリー作品があってもいいと私は考えている。

ドキュメンタリー作品を撮ろうとするあなたが、この業界に新しい風を吹き込んでくれることになればと願っている。そしてできるならば、アニメーション作品が成し得たように、あなたがドキュメンタリー作品をもう一つ別のステージに引き上げてくれたら。もちろん、私たちのスタッフになることもぜひ考えてほしい。どうもありがとう。また会う日まで！

編者あとがき

竹内亮監督は中国で仕事を立ち上げ、今も中国で暮らしている。本書はその過程を記した初の正式な回顧録である。そして本書の編纂を担当した私にとっても、これは日中関係を再認識するまたとない機会となった。

私が日本に留学したのは二〇〇六年一〇月、この頃の日本は世界のGDPランキングで第二位を保つ経済大国であった。二〇〇九年となったある日、私は大学で経済学の授業を受けていたのだが、壇上の教授が学生に向けてこんなことを言った。今でもはっきりと覚えている。

「私たちは今、かなり特殊な時代に居合わせている。今年中、もしくは来年には、中国は日本を追い抜きGDPランキングで世界第二位となるだろう。日本と中国の差はこれをもってますます広がり、君たちは中国が表舞台に立つのを目にすることになる。その準備を、君たちは今から始めておかなければならない。」

月日は流れ、私が二〇一四年に帰国した年から数えても七年が過ぎた。中国のGDPは今や日本の三倍を超え、二国間のやりとりの中でも特に民間レベルでの交流にはっきりとした変化が見られるようになった。

私が日本に留学していた頃、中国から留学してきた同期の大半は経済や経営管理、もしくは理工系を専攻に選んでいたし、卒業後の進路も日本の著名メーカーに集中するのが常であった。今や「95後」もしくは「00後」の若者たちが日本への留学に際して選ぶ専攻は多様化し、将来の進路のためだけでなく、より自分の好みや趣味を反映させるようになっている。

中国国内に目を向けてみると、インターネットの発展と、加えて中国人自身が日本へ観光旅行に行く経済力を有したことを背景に、ごく一般の中国人でさえも日本に関してより広い知見を持つようになった。特に若者の日本に対する理解はかなり深いレベルに達していると言ってよい。日本の文化を中国に紹介することに注力している竹内亮監督とそのチームが、特にネット上で若いユーザーの熱い支持を得ている背景の一つとして挙げられると思う。

本書の執筆・編集過程は、一般的な手法とは少し趣を異にする。まず私が竹内亮監督への取材を二回行った。一〇時間という長丁場だ。その後、口述内容を原稿に仕上げる作業を行った。同監督は中国での生活が七、八年に及んでおり、中国語の会話レベルは相当な水準に達している。四字熟語やネットスラングまでも使いこなす同監督だが、その口語での表現方法は時にして日本的な色合いを帯びている。編纂の過程において、私はその表現の正確さを期すると共に、同監督が持つ日本的な表現を残すように心がけた。読者の方にはこの点にも留意していただきたい。

この一連の過程では、竹内亮監督のチーム各位や夫人である趙萍にも多大なご協力とご支援をいただいた。この場をお借りしてお礼を申し上げたい。本書の元となる中国語版は、上海交通大学出版社から出版された。上海交通大学出版社の趙斌瑋氏、樊詩穎氏のおふたかたには本書の出版に際し多大なるご尽力を賜った。本作品の日本語訳は岡崎山荘による。日本語版の出版は社会科学文献出版社の高靖氏と梁力匀氏の二人の編集者を通して行われた。ここに厚く御礼を申し上げる。

黄立俊

二〇二一年六月八日

著者紹介

竹内亮（たけうち・りょう）

日本でドキュメンタリー番組の制作に携わり、テレビ東京『ガイアの夜明け』や『未来世紀ジパング』、NHK『長江 天と地の大紀行』等を制作。ドキュメンタリー監督としての15年以上のキャリアを持つ。

2013年に妻・趙萍と共に中国・南京に移り住み、南京和之夢文化伝播有限公司を設立。

2015年日本文化紹介番組の制作を開始。

2020年からコロナ関連のドキュメンタリー『南京の感染対策』『お久しぶりです、武漢』『中国アフターコロナの時代』などを次々に制作し、日中両国で大きいな注目を集めた。

2021年Newsweekの「世界が尊敬する日本人100」に選ばれた。

主な作品

『私がここに住む理由』『再会長江』『お久しぶりです、武漢』『中国アフターコロナの時代』『大涼山』『ファーウェイ100面相』『双面五輪』など。

編者紹介

黄立俊（こう・りっしゅん、**Huang Lijun**）

中国上海生まれ。

早稲田大学政治経済学部卒業後、ジャーナリストとして『第一財経日報』に入社し、日本の政治経済ニュースの報道に携わった。

訳書：『平成史』（保阪正康、平凡社新書）

竹内亮：レンズを通して見た本当の中国

発行日　二〇二三年七月二〇日　初版第一刷発行

著　者　竹内 亮
編　者　黄 立俊
訳　者　岡崎山荘

装　幀　臼井新太郎

発行所　株式会社 三元社
〒一一三－〇〇三三　東京都文京区本郷一－二八－三六鳳明ビル
電話／〇三－五八〇三－四一五五　FAX／〇三－五八〇三－四一五六
郵便振替／00180-2-119840

印刷　モリモト印刷 株式会社
製本　鶴亀製本印刷 株式会社

コード　ISBN978-4-88303-573-1